LEAVING CERTIF

German Revision

Higher Level

Bernadette Matthews

Gill Education
Hume Avenue
Park West
Dublin 12
Gill Education is an imprint of M.H. Gill & Co.

ISBN: 978 07171 8381 4
Design by Liz White Designs
Artwork by Derry Dillon
Print origination by Carole Lynch

For permission to reproduce photographs, the author and publisher gratefully acknowledge the following:
© Alamy: 197; © iStock/Getty Premium: 1, 3, 9, 10, 11, 12, 15, 18, 21, 23, 25, 27, 36, 40, 45, 77, 81, 86, 90, 129, 130, 131, 134, 135, 136, 139, 148, 173, 178, 182, 189, 203, 206, 208, 209, 220; © Shutterstock: 5, 154, 215; Courtesy of State Examinations Commission: 69, 128, 194, 200.

For permission to reproduce copyright material the publishers gratefully acknowledge the following:
Extract from Die Entdeckung der Currywurst by Uwe Timm © 1993, 1995, 2000 by Verlag Kiepenheuer & Witsch GmbH & Co. KG, Köln. Reproduced courtesy of Verlag Kiepenheuer & Witsch GmbH & Co. KG, Köln;
Extract from Die Einbahnstraße by Klaus Kordon (c) 1975 Spectrum Verlag in der Verlagsgruppe Beltz – Weinheim Basel; Extract from Yildiz heißt Stern by Isolde Heyne. Copyright © Isolde Heyne, published by Arena Verlag.

The author would like to thank Gerlinde Krug, Madeleine O'Neill and Ina Doyle for their help and advice.

CONTENTS

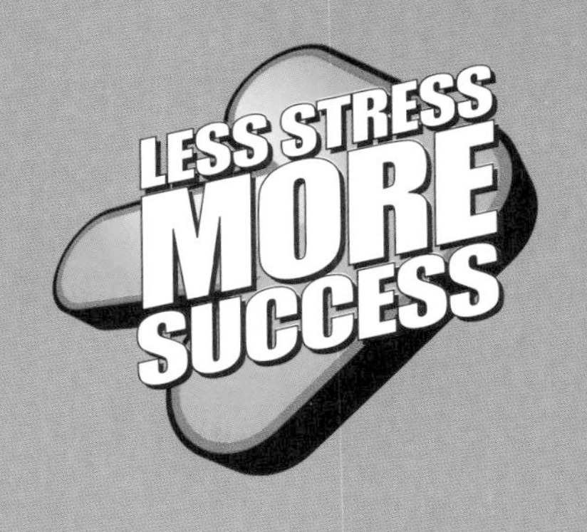
LESS STRESS
MORE
SUCCESS

Introduction

This revision book aims to help you feel more confident when facing the Leaving Certificate Higher Level German examination.

The book is divided into six sections, dealing with the areas examined in the Leaving Certificate, i.e. Oral Examination, Reading Comprehension, Grammar, Written Comment, Written Production and Listening Comprehension.

There are:

- guided answers to comprehension questions
- sample questions with solutions
- sample answers to written tasks
- a sample listening comprehension test with solutions
- suggestions about relevant vocabulary for all sections
- grammar exercises and tips
- useful tips on timing and mark allocation

VIEL ERFOLG!

Exam layout

The German Leaving Certificate Higher Level examination has four main components, with the following mark allocation.

Marks

1. The **Oral Examination** is worth **100 marks** (25% of the total marks).
2. The **Reading Comprehension** section of the exam is worth **120 marks** (30% of the total marks).
3. The **Written tasks** (including **'Schriftliche Produktion'**, **'Angewandte Grammatik'** and **'Äußerung zum Thema'**) represent **100 marks** (25% of the total marks).
4. The **Listening Comprehension** is worth **80 marks** (20% of the total marks).

Breakdown of the four main components

1. **Oral Examination** (*Mündliche Prüfung*)
The Oral is the first part of the exam and tests your proficiency in the spoken language. It lasts approximately **15 minutes**. It has three sections: **general conversation**, **picture sequence** *or* **project**, and **role-play**.

2. **Reading Comprehension** (*Leseverständnis*)
There are **two** reading comprehension texts on your written paper. The first text is an extract from a **literary source** such as a short story or a novel. The second text is **journalistic** in nature, i.e. written in the style of a newspaper or magazine article. Comprehension questions are asked in both German and English and these are clearly indicated on the paper.

3. **Written Production** (*Schriftliche Produktion*)
There are three written tasks on your paper: **'Angewandte Grammatik'**, **'Äußerung zum Thema'**, and **'Schriftliche Produktion'**. The 'Angewandte Grammatik' tests your ability to recognise and apply grammatical structures and is based on the language of one of the comprehension texts. In the 'Äußerung zum Thema' you are asked to comment on the theme arising out of the other comprehension text and you are given a choice between two tasks. The 'Schriftliche Produktion' is a longer written task where you are asked to write either a letter or on a topic that may be a response to a visual stimulus.

The written paper, which consists of both **Reading Comprehension** and **Written Production**, lasts **two and a half hours**.

4 Listening Comprehension (Aural)

The Listening Comprehension tests your ability to understand spoken German. It lasts about **40 minutes** and takes place straight after the written paper. There are four parts in this test: **interview**, **telephone message**, **dialogue** and **news bulletin** (including weather report).

1 Oral Examination (*Mündliche Prüfung*)

- To improve your proficiency in the spoken language.
- To help you to be fully prepared for all three sections of the oral examination.
- To teach a wide range of vocabulary that will be useful in all sections of the examination.

The **Oral Examination** is worth 100 marks (25% of the total).

This part of the exam tests your skills in the spoken language. The Oral Examination lasts about **15 minutes** and is recorded. Before the examination, all the candidates will attend a brief meeting with the examiner, who will outline the format and procedures of the examination. There are **three sections**:

- General conversation (40 marks)
- Picture sequence *or* project (30 marks)
- Role-play (30 marks)

At the beginning of the examination you will be asked **in German** to give your **name** and your **examination number**, both of which will be recorded. You will then be asked to **sign** the attendance sheet.

- Wie heißen Sie?
- Was ist Ihre Prüfungsnummer?
- Bitte unterschreiben Sie hier!

For the general conversation you will find a range of sample questions and suggested answers. **The topics covered are those occurring most frequently in this section of the Oral.** There are also examples of how to discuss a literary text or a film, should you wish to avail of either of these options.

Advice and tips are given as to how best to prepare for the picture sequence/project and role-play. There is one example each of a picture sequence and a role-play, illustrating the examination procedure with sample questions and answers. Of the project there is one example, likewise illustrating the examination technique and presenting ideas and suggested answers on a given topic. Obviously, the best way to prepare for the Oral Examination is to hear and speak lots of German through:

- contact with native speakers
- German radio (e.g. 'Deutsche Welle', online at www.dw-world.de)
- German television (if you have access to German TV channels, e.g. 'ARD' and 'ZDF')
- podcasts
- films
- German class

REMEMBER:

1. **Speak as much German as possible** in class.

2. Good preparation is essential. Be familiar with the more **frequently occurring topics** of the general conversation (e.g. family, hobbies, career plans, school, your study of the German language) and have **sentences prepared.**

3. **Be able to talk about things in the past** (e.g. what you did last weekend, last summer). **Practise the perfect tense.**

4. **Keep the storytelling or project presentation simple and concise** and take the time to **prepare exactly** what you are going to say.

5. Have some **ideas prepared** for the follow-up questions in the picture sequence/project area. Be familiar with the topics and anticipate possible questions.

6. **Read each task and sub-task of your role-play cards carefully** and several times before your examination. Know exactly what you have to do and cover each task **equally.**

7. The role-play should develop as a natural dialogue. It is important to **listen** to what the examiner has to say and respond appropriately.

8. **Prepare all five picture sequences and role-plays equally.** Under no circumstances may you pick up another card if you get the one you don't like!

9. **Don't speak too fast** during your examination. Good diction and pronunciation will help the examiner to assess your competence in the spoken language.

10. View each question as an invitation to speak. Short monosyllabic answers won't give the examiner much to go on. **Avoid 'Ja/Nein' answers and try to answer in complete sentences.**

VIEL ERFOLG!

Section one: General conversation

This section of the Oral is worth **40 marks** and is a general conversation with the examiner **about yourself, your family, your school life, career plans, hobbies**, etc. You will have covered many of the topics gradually throughout your years of learning German and the conversation should be a natural dialogue in which you display the oral proficiency you have gained throughout those years. Good preparation for this section will be rewarded.

The following pages will give you a variety of **sample questions and answers** on the most frequently covered topics. The general conversation **lasts approximately 4 to 5 minutes**. Some topics may be pursued more than others, depending on your individual experience and on the natural flow of the conversation.

During the course of the conversation you will be asked if you would like to **discuss a German literary work** (a poem, a story, a novel) that you have read or a **German film** that you have seen.

To show you how to talk about a chosen work, you will find one example of a literary text (a poem) and two examples of a film at the end of this section. **This is an option which you may or may not wish to avail of.**

List of topics

Vocabulary under topic headings

Sample questions and answers under topic headings

Details zur Person

The conversation generally starts with a few simple questions about yourself and your family.

Erzählen Sie mir etwas über Ihre Familie!	***Tell me something about your family.***
Haben Sie Geschwister?	***Have you brothers and sisters?***

Ich habe einen Bruder/eine Schwester/ zwei Brüder/drei Schwestern.	*I have a brother/sister/two brothers/ three sisters.*
Ich habe eine Zwillingsschwester/ einen Zwillingsbruder.	*I have a twin sister/twin brother.*
Ich bin Einzelkind.	*I am an only child.*
Mein Vater arbeitet in einer Bank.	*My father works in a bank.*
Meine Mutter ist Krankenschwester.	*My mother is a nurse.*
Ich habe ein sehr gutes Verhältnis zu meinen Eltern.	*I have a very good relationship with my parents.*

Sind Sie der/die Älteste/Jüngste in der Familie?	***Are you the oldest/youngest in the family?***
Wie finden Sie das?	***What is that like?***
Ich bin der/die Älteste/Jüngste in der Familie.	*I am the oldest/youngest in the family.*
Das finde ich prima/nicht schlecht.	*I find that great/not bad.*
Ich muss manchmal auf meine kleine Schwester/meinen kleinen Bruder aufpassen.	*I sometimes have to look after my little sister/brother.*
Ich bin ein bisschen verwöhnt!	*I'm a bit spoiled!*

Kommen Sie mit Ihren Geschwistern gut aus?	***Do you get on well with your brothers and sisters?***
Was machen Ihre Geschwister?	***What do your brothers and sisters do?***
Ich komme gut mit meiner Schwester/meinem Bruder aus.	*I get on well with my sister/brother.*
Wir verstehen uns gut.	*We get on well together.*
Wir streiten uns manchmal/selten.	*We sometimes/seldom quarrel.*
Mein Bruder studiert an der Universität in Dublin.	*My brother studies at university in Dublin.*
Meine Schwester ist Grundschullehrerin.	*My sister is a primary school teacher.*
Meine andere Schwester ist arbeitslos.	*My other sister is unemployed.*
Mein jüngerer Bruder ist zehn Jahre alt.	*My younger brother is ten years old.*
Er geht noch auf die Grundschule.	*He is still attending primary school.*

Wohnort

Wo wohnen Sie?	***Where do you live?***
Wohnen Sie auf dem Land oder in der Stadt?	***Do you live in the country or in the town?***
Wie kommen Sie zur Schule?	***How do you get to school?***

Ich wohne ...	auf dem Land.	*I live ...*	*in the country.*
	in einem Dorf		*in a village*
	in der Stadt		*in the town*
	in einem Vorort		*in a suburb*
	etwa 5 Kilometer von der Schule entfernt		*about 5 kilometres from the school*

Ich fahre jeden Tag mit dem Bus zur Schule.	*I go to school by bus every day.*
Das dauert ungefähr zwanzig Minuten.	*That takes about twenty minutes.*
Ich muss ziemlich früh aufstehen.	*I have to get up quite early.*
Ich stehe um halb acht auf.	*I get up at half past seven.*
Ich fahre mit meiner Mutter im Auto.	*I go with my mother in the car.*
Ich gehe zu Fuß.	*I walk.*
Ich wohne ganz in der Nähe der Schule.	*I live very near the school.*

NOTE:

Ich **gehe** zu Fuß. Ich **fahre** mit dem Bus/Auto.

Erzählen Sie mir ein bisschen über Ihre Stadt/Gegend!	***Tell me a little about your town/area.***
Welche Sehenswürdigkeiten gibt es?	***What are the tourist attractions?***

Unsere Stadt ist sehr schön.	*Our town is very beautiful.*
Es gibt hier viel für junge Leute.	*There is lots here for young people.*
Wir haben ein Kino, eine Kegelbahn und viele Geschäfte.	*We have a cinema, a bowling alley and a lot of shops.*
Man kann hier gut einkaufen.	*It is good for shopping.*
Das Dorf ist sehr klein.	*The village is very small.*
Es ist manchmal ein bisschen langweilig.	*It is sometimes a bit boring.*
Ich fahre oft am Wochenende in die Stadt.	*I often go to town at the weekend.*
Ich treffe meine Freunde im Einkaufszentrum.	*I meet my friends in the shopping centre.*
Es gibt ein Schloss, einen Dom und ein Museum.	*There is a castle, a cathedral and a museum.*
Die Landschaft ist schön/herrlich.	*The countryside is beautiful/magnificent.*
Man kann angeln/wandern.	*You can go fishing/hill-walking.*

Schule

Beschreiben Sie Ihre Schule!	***Describe your school.***
Wie viele Schüler/Lehrer hat sie?	***How many pupils/teachers are there?***
Sind Jungen und Mädchen an der Schule?	***Are there boys and girls at the school?***

Unsere Schule ist groß/modern/alt.	*Our school is big/modern/old.*
Sie hat eine tolle/neue Turnhalle und gute Sportmöglichkeiten.	*It has a great/new gym and good sportsfacilities.*
Man kann Fußball/Basketball/Tennis spielen.	*You can play football/basketball/tennis.*
Die Schule hat eine gute Fußballmannschaft.	*The school has a good football team.*
Wir haben aber dieses Jahr nichts gewonnen.	*But we did not win anything this year.*
Wir haben ungefähr 700 Schüler – Jungen und Mädchen – und etwa 40 Lehrer.	*We have about 700 pupils – boys and girls – and about 40 teachers.*
Unsere Schule ist eine reine Mädchenschule/Jungenschule.	*Our school is an all girls'/boys' school.*
Das stört mich nicht.	*That doesn't bother me.*
Ich würde lieber auf eine gemischte Schule gehen.	*I would prefer to go to a mixed school.*

Beschreiben Sie Ihre Uniform!	***Describe your uniform.***
Wie finden Sie die Uniform?	***What do you think of the uniform?***

Ich trage einen grünen Rock/Pullover/Schlips.	*I wear a green skirt/jumper/tie.*
Ich trage ein weißes Hemd, grüne Strumpfhosen und schwarze Schuhe.	*I wear a white shirt, green tights and black shoes.*
Ich trage eine graue Hose, einen blauen Pulli, ein graues Hemd, schwarze Socken und schwarze Schuhe.	*I wear grey trousers, a blue jumper, a grey shirt, black socks and black shoes.*
Ich finde die Uniform hässlich/altmodisch/praktisch.	*I think the uniform is horrible/old-fashioned/practical.*

Wie viele Fächer haben Sie?	***How many subjects do you have?***
Welche Fächer haben Sie?	***What subjects do you have?***

Ich habe sieben Fächer: Irisch, Englisch, Deutsch, Mathe, Chemie, Erdkunde und Musik. — *I have seven subjects: Irish, English, German, Maths, Chemistry, Geography and Music.*

Was ist Ihr Lieblingsfach? Warum?	***What is your favourite subject? Why?***
Welches Fach haben Sie nicht gern? Warum nicht?	***What subject don't you like? Why not?***

Mein Lieblingsfach ist Englisch. — *My favourite subject is English.*
Ich finde es leicht und interessant. — *I find it easy and interesting.*
Ich mag auch Erdkunde. Ich bekomme gute Noten in diesem Fach. — *I also like Geography. I get good marks in this subject.*
Ich mag Chemie nicht. Ich finde es zu schwierig. — *I don't like Chemistry. I find it too difficult.*

The word '**seit**' is used to say 'for how long' or 'since when' something is going on.

Questions about your study of German are frequently asked. Be prepared for the following questions.

Wie lange lernen Sie schon Deutsch?	***How long have you been learning German?***
Wie finden Sie Deutsch?	***How do you find German?***
Was machen Sie im Deutschunterricht?	***What do you do in German class?***

Ich lerne seit fünf Jahren Deutsch. — *I've been learning German for five years.*
Ich mag Deutsch, aber ich finde die Grammatik sehr schwierig/kompliziert. — *I like German but I find the grammar very difficult/complicated.*
Die Aussprache ist leicht. — *The pronunciation is easy.*
Ich spreche gern Deutsch. — *I like speaking German.*
Ich finde das Hörverständnis ziemlich leicht. — *I find the listening comprehension quite easy.*
In der Deutschstunde lesen wir deutsche Texte und hören deutsche CDs. — *In German class we read German texts and listen to German CDs.*
Wir sprechen auch viel Deutsch. — *We also speak a lot of German.*

Lernen Sie noch eine andere Fremdsprache? — ***Are you learning another foreign language?***
Warum sind Fremdsprachen wichtig? — ***Why are foreign languages important?***

Ja, ich lerne auch Französisch.	*Yes, I also do French.*
Ich finde es leichter/schwieriger als Deutsch.	*I find it easier/more difficult than German.*
Nein, ich lerne nur Deutsch.	*No, I only do German.*
Ich brauche eine Fremdsprache für die Universität.	*I need a foreign language for university.*
Fremdsprachen sind wichtig, wenn man in Europa reisen oder arbeiten will.	*Foreign languages are important if you want to travel or work in Europe.*

Müssen Sie dieses Jahr viele Hausaufgaben machen? — ***Do you have to do a lot of homework this year?***

Ich mache jeden Abend drei Stunden Hausaufgaben.	*I do three hours' homework every evening.*
Ich muss auch am Wochenende viel lernen.	*I also have to study a lot at the weekend.*
Wir schreiben regelmäßig Klassenarbeiten.	*We have regular class tests.*
Ich habe dieses Jahr sehr wenig Freizeit.	*I have very little free time this year.*

Welche Schulregeln gibt es hier? — ***What are the school rules here?***

Wir müssen pünktlich zum Unterricht erscheinen.	*We must come to class on time.*
Wir dürfen keinen Schmuck tragen.	*We are not allowed to wear jewellery.*
Man darf kein Handy im Klassenzimmer benutzen.	*We are not allowed to use a mobile phone in the classroom.*
Rauchen ist verboten.	*Smoking is forbidden.*
Kaugummi ist nicht erlaubt.	*Chewing gum is not allowed.*
Wenn man die Schulregeln nicht beachtet, muss man vielleicht nachsitzen.	*If you don't observe the rules you may have to do detention.*
Manchmal bekommt man Strafarbeiten.	*Sometimes you get punishment exercises.*

Haben Sie das Übergangsjahr gemacht? — ***Did you do Transition Year?***
Wie war es? — ***How was it?/What was it like?***

Ja, ich habe das Übergangsjahr gemacht.	*Yes, I did Transition Year.*
Ich fand es sehr/unheimlich interessant.	*I found it very/really interesting.*

Ich habe Projekte in einigen Fächern gemacht.	*I did projects in some subjects.*
Wir haben einige Schulausflüge gemacht.	*We went on some school trips.*
Wir haben zum Beispiel eine Kunstausstellung besucht.	*For example, we visited an art exhibition.*
Ich habe auch zwei Wochen in einer Apotheke/Bibliothek/in einem Krankenhaus gearbeitet.	*I also worked for two weeks in a chemist's/library/hospital.*
Das war eine gute Erfahrung.	*That was a good experience.*

Having a **general** understanding of the German school system is important. You may be asked the following questions.

Wie unterscheidet sich eine Schule in Deutschland von einer Schule in Irland?/Was ist an der Schule in Deutschland anders?	***How does a school in Germany differ from a school in Ireland?/ In what way is school in Germany different?***
Wo würden Sie lieber zur Schule gehen?	***Where would you prefer to go to school?***

In Deutschland fängt der Unterricht um 8 Uhr an und endet um 1 Uhr.	*In Germany school starts at 8 o'clock and ends at 1 o'clock.*
Man hat keinen Nachmittagsunterricht.	*They have no afternoon lessons.*
Man hat den Nachmittag frei.	*They have the afternoon free.*
In Irland beginnt die Schule normalerweise um 9 Uhr und ist um 4 Uhr aus.	*In Ireland school normally begins at 9 o'clock and ends at 4 o'clock.*
Die Schüler tragen keine Uniform.	*The pupils don't wear a uniform.*
Wir müssen eine Uniform tragen.	*We have to wear a uniform.*
Die Sommerferien sind kürzer – sie dauern ungefähr sechs Wochen.	*The summer holidays are shorter – they last about six weeks.*
Die Schulen sind koedukativ/gemischt.	*The schools are co-educational/mixed.*
In einigen Schulen in Deutschland muss man auch am Samstag zur Schule gehen.	*In some schools in Germany you also have to go to school on Saturday.*
Wir haben samstags keine Schule.	*We have no school on Saturday.*
Ich gehe lieber in Irland zur Schule.	*I prefer to go to school in Ireland.*
Man muss nicht so früh aufstehen und die Sommerferien sind länger.	*You don't have to get up so early and the summer holidays are longer.*
Ich würde lieber in Deutschland zur Schule gehen.	*I would prefer to go to school in Germany.*
Man hat den ganzen Nachmittag frei.	*You have the whole afternoon free.*
Das finde ich toll/prima.	*I think that's great/fantastic.*
Man hat mehr Zeit für Sport und andere Hobbys.	*You have more time for sport and other hobbies.*

Berufspläne

Was wollen Sie nach dem Schulabschluss/nach dem „Leaving Cert" machen?	***What do you want to do after the final exam/Leaving Cert?***
Wo/Was möchten Sie studieren?	***Where/What would you like to study?***
Wie lange dauert das Studium/ der Kurs?	***How long are the studies?/How long is the course?***

Ich möchte auf die Universität gehen.	*I would like to go to university.*
Ich möchte Pharmazie/Jura/Sprachen studieren.	*I would like to study pharmacy/law/ languages.*
Das Studium dauert fünf Jahre.	*The course lasts five years.*
Ich möchte Krankenpfleger(in)/Lehrer(in) /Friseur (Friseuse)/Rechtsanwalt (Rechtsanwältin) werden.	*I would like to become a nurse/teacher/ hairdresser/lawyer.*
Ich möchte in der Software-Industrie arbeiten.	*I would like to work in the software industry.*
Ich weiß nicht genau.	*I don't know exactly.*
Ich bin noch nicht ganz sicher.	*I'm not quite sure yet.*
Es hängt von meinen Noten ab.	*It depends on my marks.*
Wenn ich gute Noten bekomme, werde ich vielleicht Naturwissenschaften studieren.	*If my marks are good I may study science.*
Vielleicht werde ich Kunst und Design studieren.	*Maybe I will study Art and Design.*

Warum interessieren Sie sich für diesen Beruf?	***Why are you interested in this career?***

Ich interessiere mich für Kunst.	*I am interested in art.*
Ich möchte mit Menschen arbeiten.	*I would like to work with people.*
Ich möchte einen interessanten Beruf haben.	*I would like to have an interesting career.*
Ich würde auch gern reisen.	*I would also like to travel.*
Ich möchte viel Geld verdienen.	*I would like to earn a lot of money.*
Ich bin ziemlich kunstbegabt.	*I am quite gifted at art.*
Ich liebe Musik und möchte einen musikalischen Beruf ergreifen.	*I love music and would like to take up a musical career.*
Ich arbeite gern am Computer.	*I like working on the computer.*
Ich arbeite gern mit Kindern.	*I like working with children.*

If you wish to expand on your answer with the use of the word **weil**, remember the **position of the verb** in the sentence. Example: Ich möchte Lehrer(in) werden, **weil** die Arbeit mit Jugendlichen Spaß **macht**. (I would like to become a teacher because working with young people is fun.)

Freizeitbeschäftigung/Hobbys

Was machen Sie gern in Ihrer Freizeit?	*What do you like to do in your free time?*
Spielen Sie ein Instrument?	*Do you play an instrument?*
Lesen Sie gern? Was für Bücher lesen Sie?	*Do you like reading? What kinds of books do you read?*
Haben Sie eine Lieblingssendung?	*Do you have a favourite programme?*

Ich höre gern Musik und ich sehe gern fern.	*I like listening to music and I like watching TV.*
Meine Lieblingsgruppe ist Coldplay.	*My favourite group is Coldplay.*
Ich treibe gern Sport.	*I like playing sports.*
Ich bin sehr sportlich.	*I am very sporty.*
Im Sommer spiele ich viel Tennis und ich bin Mitglied eines Sportvereins.	*In the summer I play a lot of tennis and I am a member of a sports club.*
Ich bin nicht sehr sportlich, aber ich schwimme gern am Wochenende.	*I am not very sporty but I like swimming at the weekend.*
Ich spiele Klavier/Geige/Flöte.	*I play the piano/violin/flute.*
Ich lese gern, besonders Krimis.	*I like reading, especially crime stories.*
Ich sehe gern Musik-/Sportsendungen, aber ich habe keine Lieblingssendung.	*I like watching music/sport programmes but I don't have a favourite programme.*

Practise the **perfect tense**. The topics that follow also lend themselves to this task ('Hobbys', 'Ferien', 'Nebenjobs', 'Aufenthalt in Deutschland'). Pay particular attention to the sample questions and answers given here.

Was haben Sie letztes Wochenende gemacht?	***What did you do last weekend?***
Letztes Wochenende habe ich meine Hausaufgaben gemacht.	*Last weekend I did my homework.*
Ich habe auch für meine mündliche Prüfung gelernt.	*I also studied for my Oral Exam.*
Ich habe mein Zimmer aufgeräumt.	*I tidied my room.*
Am Samstagnachmittag bin ich in die Stadt gefahren und habe meine Freunde getroffen.	*On Saturday afternoon I went into town and I met my friends.*
Wir sind in ein Café/ins Kino gegangen.	*We went to a café/the cinema.*
Wir haben einen tollen Film gesehen. Er war lustig/spannend.	*We saw a great film. It was funny/exciting.*

It is important to be able to talk about things in the past if you wish to achieve a **high mark** in the general conversation.

Nebenjobs/Taschengeld

Haben Sie einen Nebenjob?	***Do you have a part-time job?***
Haben Sie einen Nebenjob gehabt?	***Have you had a part-time job?***
Was machen Sie mit Ihrem Geld?	***What do you do with your money?***

Ich habe im Moment keinen Nebenjob, weil ich viel für die Prüfung lernen muss.	*At the moment I don't have a part-time job because I have to do a lot of study for the exam.*
Am Wochenende helfe ich aber zu Hause.	*At the weekend, however, I help out at home.*
Ich räume mein Zimmer auf.	*I tidy my room.*
Ich spüle ab und ich sauge Staub.	*I do the washing-up and I vacuum.*
Ich bekomme Taschengeld von meinen Eltern.	*I get pocket money from my parents.*
Ich habe einen Nebenjob. Ich arbeite samstags in einem Restaurant.	*I have a part-time job. I work in a restaurant on Saturdays.*
Ich bediene die Kunden und helfe manchmal in der Küche aus.	*I serve the customers and help out sometimes in the kitchen.*
Ich verdiene ziemlich gut – 9 Euro die Stunde – und ich bekomme auch Trinkgeld.	*I earn quite good money – €9 an hour – and I also get tips.*
Die Arbeit ist manchmal anstrengend.	*The work is sometimes tiring.*
Ich arbeite am Wochenende in einem Supermarkt.	*I work in a supermarket at the weekend.*
Ich fülle die Regale auf und arbeite manchmal an der Kasse.	*I stack the shelves and sometimes work at the checkout.*
Ich arbeite gern da.	*I like working there.*
Ab und zu gehe ich bei meinen Nachbarn babysitten.	*Now and then I babysit for my neighbours.*
Während die Kinder schlafen, mache ich meine Hausaufgaben.	*While the children are sleeping I do my homework.*
Die Arbeit ist leicht und ich kriege 20 Euro für den Abend.	*The work is easy and I get €20 for the evening.*
Ich habe einen Nebenjob gehabt.	*I had a part-time job.*
Letzten Sommer habe ich in einem Café/in einer Bäckerei/in einem Blumenladen gearbeitet.	*Last summer I worked in a café/bakery/flower shop.*
Ich habe die Kunden bedient.	*I served the customers.*
Die Arbeit hat mir gut gefallen und ich habe viel Geld verdient.	*I liked the work and I earned a lot of money.*
Ich habe Klamotten gekauft und ein bisschen Geld gespart.	*I bought clothes and saved a little money.*
Ich gebe mein Geld für Kleider und Schulsachen aus.	*I spend my money on clothes and school things.*
Ich habe auch ein Handy, das ich ab und zu aufladen muss.	*I also have a mobile phone that needs topping up now and then (with credit).*

Ferien/Reisen

Waren Sie schon mal im Ausland?	***Have you ever been abroad?***
Nein, ich war noch nie im Ausland.	*No, I have not yet been abroad.*
Ja! Vor zwei Jahren war ich mit meiner Familie für zwei Wochen in Frankreich.	*Yes. Two years ago I was in France with my family for two weeks.*
Wir waren auf einem Campingplatz.	*We stayed at a campsite.*
Es hat mir viel Spaß gemacht.	*I enjoyed it very much.*
Das Wetter war prima und ich bin oft schwimmen gegangen.	*The weather was great and I often went swimming.*
Letztes Jahr bin ich mit einer Schulgruppe nach Italien gefahren.	*Last year I went to Italy with a group from school.*
Unser Erdkundelehrer hat die Reise organisiert.	*Our Geography teacher organised the trip.*
Es war toll. Wir haben Florenz und Venedig besichtigt.	*It was great. We visited Florence and Venice.*
Ich fand die Architektur/die Gebäude schön und das Essen lecker.	*I found the architecture/the buildings beautiful and the food delicious.*

Was haben Sie für die kommenden Sommerferien vor?	***What have you planned for the coming summer holidays?***
Ich hoffe, diesen Sommer einen Nebenjob zu bekommen.	*I hope to get a part-time job this summer.*
Vielleicht werde ich in einem Supermarkt arbeiten.	*Maybe I will work in a supermarket.*
Ich möchte ein bisschen Geld verdienen und für die Universität sparen.	*I would like to earn a little money and save for university.*
Außerdem fahre ich mit meiner Familie in Urlaub.	*I am also going on holiday with my family.*
Wir werden im Juli für zwei Wochen nach Portugal fliegen.	*We are flying to Portugal in July for two weeks.*
Ich freue mich darauf.	*I'm looking forward to it.*

Was haben Sie letzten Sommer gemacht?	***What did you do last summer?***
Letzten Sommer habe ich drei Wochen in der „Gaeltacht“ verbracht.	*Last summer I spent three weeks in the Gaeltacht.*
Ich habe viel Irisch gesprochen und auch nette Leute kennen gelernt.	*I spoke a lot of Irish and I also got to know nice people.*
Letzten Sommer bin ich in Irland geblieben, denn ich hatte einen Nebenjob.	*Last year I stayed in Ireland because I had a part-time job.*
Ich habe mich oft mit Freunden getroffen.	*I often met friends.*
Wir sind ab und zu ins Kino oder ins Schwimmbad gegangen.	*We went to the cinema now and then or to the swimming pool.*
Ich habe auch viel Sport getrieben.	*I also played a lot of sport.*
Zweimal oder dreimal die Woche habe ich Tennis gespielt.	*Twice or three times a week I played tennis.*
Das Wetter war leider nicht so gut. Es hat viel geregnet.	*Unfortunately, the weather was not so good. It rained a lot.*

Aufenthalt in Deutschland

Waren Sie schon mal in Deutschland/ Österreich?	*Were you ever in Germany/Austria?*
Möchten Sie einmal nach Deutschland fahren?	*Would you like to go to Germany?*
Haben Sie einen Schüleraustausch gemacht?	*Have you done a student exchange?*

Ja! Ich war letztes Jahr/vor zwei Jahren in Deutschland.	*Yes. I was in Germany last year/two years ago.*
Ich habe einen Schüleraustausch gemacht.	*I did a student exchange.*
Ich habe drei Wochen in München/Köln verbracht.	*I spent three weeks in Munich/Cologne.*
Ich bin mit meinem Austauschpartner/meiner Austauschpartnerin gut ausgekommen.	*I got on well with my exchange partner.*
Ich fand die Sprache am Anfang schwer, aber ich habe viel gelernt.	*I found the language difficult at first but I learned a lot.*
Ich habe meistens nur Deutsch gesprochen.	*I mostly spoke only German.*
Meine Gastfamilie war sehr nett und gastfreundlich.	*My host family was very nice and hospitable.*
Wir haben die Stadt besichtigt, zum Beispiel den Dom, den Park und die Geschäfte.	*We visited the town, for example the cathedral, the park and the shops.*
Das Essen hat mir gut geschmeckt, besonders der Käsekuchen.	*I liked the food, especially the cheesecake.*

Der Austausch hat mir unheimlich viel Spaß gemacht.	*I really enjoyed the exchange.*
Mein Austauschpartner/Meine Austauschpartnerin kam zu Ostern zu mir.	*My exchange partner came to me at Easter.*
Irland hat ihm/ihr sehr gut gefallen.	*He/She liked Ireland a lot.*
Unsere Deutschlehrerin hat letzten Oktober eine Reise nach Deutschland und Österreich organisiert.	*Our German teacher organised a trip to Germany and Austria last October.*
Wir haben den berühmten Dom und den schönen Marktplatz in Salzburg besichtigt.	*We visited the famous cathedral and the beautiful market square in Salzburg.*
Wir haben auch München gesehen und einige schöne Schlösser in der Umgebung.	*We also saw Munich and some beautiful castles in the area.*
An einem Tag haben wir eine Schifffahrt auf dem Rhein gemacht. Das war toll.	*One day we went for a boat trip on the Rhine. That was great.*
Nein! Ich war noch nie in Deutschland, aber ich möchte einmal hinfahren.	*No! I was never in Germany but I would like to go there some time.*
Ich möchte die Hauptstadt Berlin sehen.	*I would like to see the capital city, Berlin.*
Oder vielleicht den Schwarzwald – der soll sehr schön sein.	*Or perhaps the Black Forest – it's supposed to be very nice.*

As you are required to have some knowledge of the countries where German is spoken (*Landeskunde*), it is advisable to have prepared briefly for the following topics. You will find some ideas among the sample answers here.

Was wissen Sie über Deutschland?	***What do you know about Germany?***
Was isst man in Deutschland?	***What food do they eat in Germany?***
Kennen Sie vielleicht ein deutsches Fest?	***Maybe you know a German festival?***

Das Land hat ungefähr 80 Millionen Einwohner.	*The country has about 80 million inhabitants.*
Berlin ist die Hauptstadt.	*Berlin is the capital city.*
Deutschlands Autofirmen sind weltbekannt, zum Beispiel Volkswagen, Mercedes und BMW.	*Germany's car firms are known all over the world, for example Volkswagen, Mercedes and BMW.*

Man isst viel Wurst, Aufschnitt und Käse in Deutschland.	*They eat a lot of sausage, cold sliced meat/ salami and cheese in Germany.*
Man isst auch gern Schnitzel und Sauerkraut.	*They also like to eat schnitzel and sauerkraut.*
Es gibt viele verschiedene Brotsorten und leckere Kuchen, zum Beispiel Schwarzwälder Kirschtorte.	*There are many different types of bread and delicious cakes, for example Black Forest Gateau.*

Weihnachten ist ein großes Familienfest in Deutschland.	*Christmas is a big family festival in Germany.*
Die Kinder bekommen Geschenke vom Christkind und der Heiligabend ist für sie der wichtigste Tag.	*The children get presents from the Christ Child and Christmas Eve is the most important day for them.*
Viele Leute gehen an Heiligabend in die Kirche.	*Many people go to church on Christmas Eve.*
Man schmückt den Christbaum kurz vor Weihnachten.	*They decorate the Christmas tree shortly before Christmas.*
Man isst viel Lebkuchen und die Erwachsenen trinken Glühwein.	*They eat a lot of gingerbread and the adults drink mulled wine.*

Man feiert auch Karneval.	*They also celebrate carnival.*
In Süddeutschland und in Österreich nennt man das Fasching.	*In southern Germany and in Austria it is called 'Fasching'.*
Es gibt viele Umzüge, besonders am Rosenmontag.	*There are many parades, especially on Rose Monday.*
Das ist der Montag vor Aschermittwoch.	*That is the Monday before Ash Wednesday.*
Die Leute verkleiden sich.	*The people dress up in fancy dress.*
Die Atmosphäre ist immer toll.	*The atmosphere is always great.*
Die Leute haben viel Spaß.	*The people have a lot of fun.*

Literarischer Text/Film

This is an **option** that is offered during the examination. Here you will find **examples** of both to help you prepare. You may have other examples that you wish to discuss. The sample questions and answers here will show you how to approach this topic. Should you decide **not** to take up the option, the conversation will continue naturally and there is of course **no loss of marks**.

Möchten Sie etwas über einen deutschen literarischen Text erzählen, den Sie gelesen haben?
Would you like to talk about a German literary text that you have read?

Was gefällt Ihnen an diesem Gedicht/an dieser Geschichte/an diesem Roman?
What do you like about this poem/story/novel?

Wissen Sie etwas über den Dichter/Autor?
Do you know anything about the poet/author?

Nein, lieber nicht.
No, I would prefer not to.

Ja, ich habe das Gedicht „Weihnachtslied" von Theodor Storm gelesen. In dem Gedicht werden die typischen Bilder von Weihnachten verwendet. Der Dichter denkt an einen Stern im Himmel und an eine kerzenhelle Nacht. Er spricht vom Tannenwald. Er hört Kirchenglocken in der Ferne. Weihnachten ist für ihn eine sehr schöne und magische Zeit. Es hat einen Zauber für ihn. Weihnachten ist ein Wunder. Das Gedicht ist voller Freude.
Yes, I read the poem 'Weihnachtslied' ('Christmas Song') by Theodor Storm *(see p. 27)**. In the poem typical Christmas images appear. The poet thinks of a star in the sky and a night bright with candlelight. He talks about the fir tree forest. He hears church bells in the distance. Christmas is a very beautiful and magical time for him. It has a charm for him. Christmas is a wonder. The poem is full of joy.*

Das Gedicht gefällt mir. Es ist sehr schön. Ich kann die Gedanken und Gefühle des Dichters gut verstehen. Weihnachten ist auch für mich eine magische Zeit. Ich liebe die Atmosphäre, den Christbaum, die Weihnachtslieder und so weiter.
I like the poem. It is very beautiful. I can really understand the thoughts and feelings of the poet. Christmas is a magical time for me too. I love the atmosphere, the Christmas tree, the Christmas carols and so on.

Theodor Storm wurde 1817 in Husum geboren und ist 1888 gestorben. Er hat viele Gedichte und Geschichten geschrieben. Das Motiv Weihnachten als Fest taucht oft in seinen Erzählungen und Gedichten auf.
Theodor Storm was born in Husum in 1817 and died in 1888. He wrote many poems and stories. The motif of Christmas as a festival often occurs in his stories and poems.

Weihnachtslied

Vom Himmel in die tiefsten Klüfte
Ein milder Stern herniederlacht;
Vom Tannenwalde steigen Düfte
Und hauchen durch die Winterlüfte,
Und kerzenhelle wird die Nacht.

Mir ist das Herz so froh erschrocken
Das ist die liebe Weihnachtszeit!
Ich höre fernher Kirchenglocken
Mich lieblich heimatlich verlocken
In märchenstille Herrlichkeit.

Ein frommer Zauber hält mich wieder,
Anbetend, staunend muss ich stehn;
Es sinkt auf meine Augenlider
Ein goldner Kindertraum hernieder,
Ich fühl's, ein Wunder ist geschehn.

THEODOR STORM

Vocabulary

Kirchenglocken (*fpl.*) *church bells*
verlocken *to entice*
märchenstill *quiet as a fairytale*
fromm *pious/religious*
der Zauber *magic/charm*
ein Wunder *a wonder/miracle*
geschehen (*geschieht, geschah, geschehen*) *to happen*

Möchten Sie über einen deutschen Film sprechen, den Sie gesehen haben?

Would you like to talk about a German film that you have seen?

Was gefällt Ihnen an diesem Film?

What do you like about this film?

Wissen Sie etwas über den Regisseur?

Do you know anything about the director?

Ich habe den Film „Die fetten Jahre sind vorbei“ gesehen. In diesem Film geht es um drei junge Leute, die gegen den Kapitalismus protestieren. Sie brechen in reiche Häuser ein und stellen die Möbel um. Aber sie stehlen nichts. Eines Tages brechen sie in ein Haus ein und der Besitzer kommt nach Hause. Sie müssen schnell entscheiden. Sie entführen ihn und bringen ihn zu einer Berghütte. Sie sprechen mit ihm über ihre Meinungen. Nach einigen Tagen lassen sie ihn frei. Die drei jungen Leute fliehen.

I saw the film Die fetten Jahre sind vorbei (The Educators). *The film is about three young people who protest against capitalism. They break into expensive houses and rearrange the furniture. But they don't steal anything. One day they break into a house and the owner comes home. They have to decide quickly. They kidnap him and take him to a mountain hut. They talk to him about their opinions. After a few days they let him go. The three young people flee.*

Der Film hat mir gut gefallen. Ich mag die drei jungen Schauspieler. Sie spielen ihre Rollen sehr gut. Der Film ist interessant und spannend.

I liked the film. I like the three young actors. They play their parts very well. The film is interesting and exciting.

Der Regisseur heißt Hans Weingartner. Er kommt aus Österreich. Dieser Film ist sein zweiter Film.

The director's name is Hans Weingartner. He comes from Austria. This film is his second film.

Ich habe den Film „Stille Sehnsucht“ gesehen. Der Film handelt von einer jungen Mutter, Senada. Senada hat ihre Tochter Aida im Bosnienkrieg verloren. Viele Jahre später erfährt sie, dass Aida bei Adoptiveltern in Deutschland wohnt. Sie reist illegal nach Deutschland, um ihre Tochter zu finden. Aber Aida wohnt glücklich bei ihren Adoptiveltern und kennt ihre biologische Mutter nicht. Die Geschichte ist sehr traurig. Senada muss ohne ihre Tochter nach Hause fahren.

I saw the film Stille Sehnsucht (Warchild). *The film is about a young mother, Senada. Senada lost her daughter in the Bosnian war. Many years later she finds out that Aida is living with adoptive parents in Germany. She travels illegally to Germany to find her daughter. But Aida is living happily with her adoptive parents and does not know her biological mother. The story is very sad. Senada has to return home without her daughter.*

Der Film hat mir sehr gut gefallen. Die Schauspielerin Labina Mitevska hat die Hauptrolle gespielt und sie war sehr gut. Sie kommt aus Bosnien. Die Sprache war ein bisschen schwer zu verstehen, aber der Film hatte natürlich Untertitel.

I liked the film a lot. The actress Labina Mitevska played the main part and was very good. She comes from Bosnia. The language was a little difficult to understand but of course the film had subtitles.

Der Regisseur heißt Christian Wagner. Er kommt aus Deutschland.

The director's name is Christian Wagner. He comes from Germany.

Section two: Picture sequence/project

This section of the Oral is worth **30 marks**. In this section you are presented with a choice: **picture sequence** *or* **project**. You will be examined on **one** of the five picture sequences prepared by you for the Oral Examination *or* you may talk about a project you have done on some aspect of culture in a German-speaking country.

Picture sequence

The five picture sequence cards will be presented (face down!) to you and you will be asked to select one. You will then be given **30 seconds** (*dreißig Sekunden/eine halbe Minute Zeit*) to gather your thoughts and prepare.

Then the examination will proceed in the following way:

- **Narration:** You will be asked to **tell** the story: Erzählen Sie mir jetzt die Geschichte!
- **Explanation and future projection:** You will be asked to explain some aspect(s) of the story and to say what you think will happen next.
- **Opinion on issue:** You will be asked a few questions on the topic(s) arising out of the story.

Each of the **three areas** in this section carries **equal marks**. They are worth **10 marks each**.

Picture Sequence Example

DIE GEBURTSTAGSÜBERRASCHUNG (2017–2020)

Look at the following example. You may tell the story in the present tense.

Remember to keep the narration simple and concise. While it is important not to omit significant details, there are **no extra marks** for long-winded extraneous information.

Narration

Bild 1:

Monika hat heute Geburtstag. Sie ist achtzehn Jahre alt. Sie bekommt eine Geburtstagskarte von Oma und Opa und hundert Euro als Geschenk. Sie freut sich sehr.

It's Monika's birthday today. She is eighteen years old. She receives a birthday card from Granny and Grandad and a present of one hundred euros. She is very happy.

Bild 2

Kurz danach will sie ausgehen. Sie geht zum Wohnzimmer und sagt „Bis gleich" zu ihren Eltern. Die Eltern lächeln und wünschen ihr viel Spaß.

Shortly afterwards, she wants to go out. She goes to the living room and says 'See you soon' to her parents. The parents smile and wish her a good time.

Bild 3

Es ist jetzt Spätnachmittag. Die Eltern und Monikas Bruder sitzen am Tisch. Auf dem Tisch stehen zwei Kerzen und ein Kuchen. Man sieht Geschenke unter dem Tisch. Die Katze schläft ruhig auf dem Sessel. Die Familie wartet auf Monikas Rückkehr.

It is now late afternoon. The parents and Monika's brother are sitting at the table. On the table are a cake and two candles. You can see presents under the table. The cat is sleeping quietly on the armchair. The family is waiting for Monika's return.

Bild 4

Monika geht direkt in ein Tattoo-Studio. Sie hat die hundert Euro in der Hand. Sie ist gespannt. Sie will sich tätowieren lassen.

Monika goes straight to a tattoo studio. She has the hundred euros in her hand. She is excited. She wants to get a tattoo.

Bild 5

In dem Tattoo-Studio spricht sie mit einem freundlichen Tätowierer. Er zeigt ihr verschiedene Tattoos. Er fragt nach, ob Monika schon achtzehn ist. Monika wählt ein Tattoo.

In the tattoo studio she is talking to a friendly tattooist. He shows her various tattoos. He establishes that she is already eighteen. Monika chooses a tattoo.

Bild 6

Gleich danach geht sie nach Hause. Sie betritt das Esszimmer und begrüßt ihre Familie. Die Familie ist sehr überrascht! Monika hat ein Tattoo von einem Vogel an ihrer Schulter und ist sehr stolz darauf. Die Katze guckt den Vogel an.

Immediately afterwards she goes home. She goes into the dining room and greets her family. They are very surprised! Monika has a tattoo of a bird on her shoulder and is very proud of it. The cat is looking at the bird.

This is a part of the exam that can be completely prepared. Therefore, it is well worth taking the time to **learn and prepare exactly** what you are going to say.

Explanation

In this section, the examiner will ask you to explain details of the pictures that may not have been dealt with in the storytelling. The following sample questions and answers illustrate this approach.

Anticipate possible questions by examining the individual pictures and **have your ideas prepared.**

Bild 1

1. **Wie sieht Monika aus?/Beschreiben Sie Monika.**
   Sie hat blonde Haare. Sie trägt ein T-Shirt, Jeans und Ohrringe.
   What does Monika look like?/Describe Monika.
   She has blonde hair. She is wearing a t-shirt, jeans and earrings.
2. **Was macht sie?**
   Sie öffnet ihre Geburtstagskarten.
   What is she doing?
   She is opening her birthday cards.

Bild 2

1. **Wohin geht Monika jetzt?**
   Sie geht in die Stadt. Sie will etwas einkaufen.
   Where is Monika going now?
   She is going into town. She wants to shop.
2. **Was trägt sie?**
   Sie trägt eine Jacke und Jeans.
   What is she wearing?
   She is wearing a jacket and jeans.
3. **Was sagen die Eltern?**
   Sie sagen „Herzlichen Glückwunsch zum Geburtstag" und „Viel Spaß".
   What do the parents say?
   They say 'Happy Birthday' and 'Have fun'.

Bild 3

1. **Wo sitzen die Eltern und der Sohn?**
   Sie sitzen am Tisch im Esszimmer.
   Where are the parents and the son sitting?
   They are sitting at the table in the dining room.
2. **Was steht auf dem Tisch?**
   Auf dem Tisch stehen zwei Kerzen, ein Geburtstagskuchen und Geschirr.
   What is on the table?
   There are two candles, a birthday cake and tableware.
3. **Wen erwarten sie?**
   Sie erwarten Monika. Sie wollen ihren achtzehnten Geburtstag feiern.
   Whom are they expecting?
   They are expecting Monika. They want to celebrate her eighteenth birthday.

Bild 4

1. **Welche Geschäfte gibt es hier?**
   Es gibt einen Blumenladen, ein Strickwarengeschäft, einen Friseursalon und ein Tattoo-Studio.
   What shops are there here?
   There are a flower shop, a knitwear shop, a hair salon and a tattoo studio.
2. **Wohin geht Monika?**
   Sie geht in das Tattoo-Studio.
   Where does Monika go?
   She goes into the tattoo studio.

Bild 5

1. **Beschreiben Sie den Tätowierer.** *Describe the tattooist.*
   Er hat lange, schwarze Haare. (Er trägt einen langen, schwarzen Zopf.) Er trägt Ohrringe. Er hat mehrere Tattoos an den Armen. Er sieht freundlich aus. *He has long, black hair. (He has a long, black plait.) He is wearing earrings. He has several tattoos on his arms. He looks friendly.*
2. **Beschreiben Sie das Studio.** *Describe the shop.*
   An der Wand hängen Bilder von Leuten mit Tattoos. Ein Frosch sitzt in einem Käfig und man sieht ein Schild mit der Frage „Bist du achtzehn"? *On the wall there are pictures of people with tattoos. There is a frog in a cage and a sign with the question 'Are you eighteen?'*

Bild 6

1. **Wie reagieren die Eltern?** *How do the parents react?*
   Die Mutter ist offenbar schockiert. Der Vater ist verblüfft. *The mother is clearly shocked. The father is stunned.*
2. **Wie reagiert der Bruder?** *How does the brother react?*
   Der Bruder findet das Tattoo lustig. Es gefällt ihm. *The brother thinks the tattoo is funny. He likes it.*
3. **Wie reagiert die Katze?** *How does the cat react?*
   Die Katze mag den Vogel. Sie denkt vielleicht, er sei echt! *The cat likes the bird. Perhaps she thinks it's real!*
4. **Wie fühlt sich Monika?** *How does Monika feel?*
   Sie ist mit ihrem Tattoo total zufrieden. Sie freut sich darüber. *She is completely satisfied with her tattoo. She is happy about it.*

Future projection

You will be asked to say how the story continues. What happens next? **Think** about this before the exam and have your ideas **prepared**.

The following sample questions and answers will show you how this is done.

1. **Wie geht die Geschichte weiter?** *How does the story continue?*
   Monika sagt, dass sie alt genug sei, ein Tattoo zu haben. Sie findet es toll. Die Eltern mögen das Tattoo nicht. Sie sind gar nicht glücklich. *Monika says that she is old enough to have a tattoo. She thinks it's great. The parents don't like the tattoo. They are not at all pleased.*
2. **Was sagen die Eltern?** *What do the parents say?*
   Sie sagen, dass es Geldverschwendung sei. Sie meinen, es könnte auch gefährlich sein. *They say that it is a waste of money. They think that it could also be dangerous.*
3. **Wie versucht Monika, ihre Eltern zu beruhigen?** *How does Monika try to reassure her parents?*
   Sie sagt, dass es nicht gefährlich sei und auch nicht wehtue. *She says that it is not dangerous and that it doesn't hurt.*
4. **Meinen Sie, dass die Eltern das Tattoo akzeptieren werden?** *Do you think that the parents will accept the tattoo?*
   Ja, sie werden sich daran gewöhnen. *Yes, they will get used to it.*

Opinion on issue

In this section you will be asked a few questions on the topic/issue arising out of the story. While you cannot prepare this with the same degree of accuracy as the storytelling, you can have some answers prepared.

The story might lend itself to **more** than one topic. So consider **all** angles. Anticipate areas of comparison with your personal life and/or Ireland.

Pay close attention to the variety of the sample questions and answers that follow. You might think of more!

Sample questions and answers

1. **Meinen Sie, dass es erlaubt sein sollte, sich mit achtzehn tätowieren zu lassen?** *Do you think that you should be allowed to get a tattoo at the age of eighteen?*

   Ja, mit achtzehn ist man erwachsen und alt genug, selbst zu entscheiden. *Yes, at the age of eighteen, you're an adult and old enough to decide for yourself.*

2. **Was sind die Nachteile von Tattoos?** *What are the disadvantages of tattoos?*

   Sie können gefährlich sein. Es besteht die Gefahr einer Infektion. *They can be dangerous. There is a risk of infection.*

   Wenn man jung ist, entscheidet man sich vielleicht zu schnell für ein Tattoo und bereut die Entscheidung später im Leben. Es ist sehr schwer, ein Tattoo wieder loszuwerden. *When one is young, one might make a rash decision to get a tattoo and regret the decision later in life. It is very hard to get rid of a tattoo.*

3. **Möchten Sie ein Tattoo?** *Would you like a tattoo?*

   Ja, ich finde Tattoos cool, aber man muss einen guten Tätowierer finden. Man muss vorsichtig sein. Ich möchte ein kleines Tattoo haben. Nicht zu auffällig! *Yes, I think tattoos are cool but you have to find a good tattooist. One must be careful. I would like a small tattoo. Not too noticeable!*

Oder — *Or*

Nein. Ich finde Tattoos nicht besonders interessant. Ich hätte Angst, dass ich meine Handlung später bereuen würde.
No. I don't find tattoos particularly interesting. I would be afraid that I would regret my action later.

4. **Was bedeutet es, achtzehn zu sein?** *What does it mean to be eighteen?*
   Man ist volljährig/erwachsen. Man hat mehr Rechte. Man darf zum Beispiel wählen.
   One is of age/grown up. One has more rights. For example, one can vote.

5. **Welche Geschenke möchten Sie zum achtzehnten Geburtstag bekommen?** *What presents would you like to get for your eighteenth birthday?*
   Ich möchte Geld bekommen. Dann könnte ich meine Geschenke selbst kaufen. Ich möchte ein neues Handy.
   I would like to get money. Then I could buy presents myself. I would like a new mobile.

Project

You may choose to talk about a project you have done on some aspect of German-speaking culture, e.g. music, history, a German sports star, the German/Austrian school system, national festivals, a tourist/historic area or city in a German-speaking country. There are many possibilities. The work would reflect your personal area of interest.

You will present the project to the examiner on the day of the Oral Examination at the briefing meeting. The examiner will look briefly at the project and then return it to you. You will later bring the project with you into the examination.

As in the case of the picture sequence, there are three areas tested:

- **Presentation:** You will be asked to **talk uninterrupted** about the **content** of your project. This should last no longer than **2 minutes.**
- **Clarification and explanation:** You will be asked to **clarify** some aspect or aspects you have touched on in your presentation, or to expand a little on what you have said. You will then be asked to **explain briefly how you actually worked on the project.**
- **Opinion on issue:** You will be asked to give your **opinion on the wider issue** or issues arising out of your project.

Project example: Berlin

Presentation

The following is an example of a presentation. It illustrates how you might present your project if you had chosen a town or city in a German-speaking country.

Ich habe mein Projekt über Berlin gemacht. Die Stadt hat eine sehr interessante Geschichte. Nach dem Zweiten Weltkrieg wurde die Stadt geteilt. Im August 1961 wurde die Berliner Mauer gebaut. Viele Menschen sind bei Fluchtversuchen an dieser Mauer ums Leben gekommen. Am 9. November 1989 wurde die Mauer geöffnet. Viele Ostberliner besuchten in dieser Nacht Westberlin und viele Westberliner kamen zur Mauer, um die Ostberliner zu begrüßen. Am 3. Oktober 1990 wurde die Stadt wiedervereinigt.

Die Stadt hat viele Sehenswürdigkeiten. Das Brandenburger Tor ist das Wahrzeichen Berlins. Der Potsdamer Platz ist eine der beliebtesten Attraktionen. Der Ku'damm ist ein sehr großer und beliebter Einkaufsboulevard. Andere Sehenswürdigkeiten sind der Reichstag, der Alexanderplatz, die Staatsoper und das Jüdische Museum.

Berlin ist heute die Hauptstadt von Deutschland und hat 3,5 Millionen Einwohner.

As in the case of the picture sequence, you will have **prepared** what you are going to say. Keep it simple and concise.

Translation

I did my project on Berlin. The city has a very interesting history. After the Second World War the city was divided. In August 1961, the Berlin Wall was built. Many people lost their lives at this wall while trying to escape. On 9 November 1989, the wall was opened. Many East Berliners visited West Berlin on this night and many West Berliners came to the wall to greet the East Berliners. On 3 October 1990, the city was reunited.

The city has many tourist sights. The Brandenburg Gate is the emblem of Berlin. Potsdam Square is one of the most popular attractions. The Ku'damm is a very large and very popular shopping boulevard. Other tourist sights are the Reichstag (German Parliament building), Alexander Square, the State Opera House and the Jewish Museum.

Today Berlin is the capital of Germany and has 3.5 million inhabitants.

Clarification

In this section you are asked to clarify some aspect or aspects mentioned in your presentation. It is very important that you give this some thought and preparation beforehand.

The following examples illustrate the types of questions asked and how you could answer effectively.

> **key point**
>
> Be able to say **why** you chose this particular topic. The examiner may **tease out** something you have mentioned in your presentation. So have it **prepared**.

Sample questions

1. Warum haben Sie Berlin als Projekt gewählt? — *Why did you choose Berlin as a project?*
2. Waren Sie schon in Berlin? — *Have you been in Berlin?*
3. Sie haben vom Brandenburger Tor/vom Jüdischen Museum/vom Reichstag gesprochen. Können Sie ein bisschen mehr davon erzählen?/Können Sie es/ihn genauer beschreiben? — *You spoke about the Brandenburg Gate/ the Jewish Museum/the Reichstag. Could you say a little bit more about it?/ Could you describe it more exactly?*

Sample answers

1. Ich habe mein Projekt über Berlin gemacht, weil ich mich für Geschichte interessiere und Berlin historisch sehr interessant ist. — *I did my project on Berlin because I'm interested in history and Berlin is historically very interesting.*

   Berlin ist auch die Hauptstadt und die größte Stadt in Deutschland. — *Berlin is also the capital and the largest city in Germany.*

2. Nein, leider war ich noch nie in Berlin, aber ich möchte die Stadt eines Tages besuchen. — *No, unfortunately I was never in Berlin but I would like to visit the city one day.*

3. Das Brandenburger Tor stammt aus dem achtzehnten Jahrhundert. — *The Brandenburg Gate dates from the eighteenth century.*
   Am neunten November 1989, dem Tag des Mauerfalls, haben viele Leute hier gefeiert und die Bilder gingen rund um die Welt. — *On 9 November 1989, the day of the fall of the Berlin Wall, many people celebrated here and the pictures were seen all around the world.*
   Das Jüdische Museum dokumentiert die Geschichte der Juden in Berlin und in Deutschland. — *The Jewish Museum documents the history of the Jews in Berlin and in Germany.*
   Der Reichstag ist das Parlamentsgebäude. — *The Reichstag is the parliament building.*
   Der Bundestag hat dort seinen neuen Sitz. — *The Bundestag (German Parliament) has its new seat there.*

Explanation

Here you are asked to explain **briefly** how you actually worked on the project.
Pay close attention to the following questions and suggested answers.

This section is very easy to prepare, so don't neglect it!

Sample questions

1. Woher haben Sie Ihre Informationen über Berlin? — *Where did you get your information on Berlin?*
2. Wie lange haben Sie an dem Projekt gearbeitet? — *How long did you work on this project?*
3. Wo haben Sie meistens daran gearbeitet? — *Where did you do most of the work on it?*

Sample answers

1. Ich habe einige Informationen in Geschichtsbüchern gefunden. — *I found some information in history books.*
   Ich habe auch Informationen aus dem Internet bekommen. — *I also got information from the internet.*
   Bilder und Broschüren habe ich von meiner Deutschlehrerin/von der Deutschen Botschaft bekommen. — *I got pictures and brochures from my German teacher/from the German Embassy.*

2. Ich habe mein Projekt im Übergangsjahr/letztes Jahr begonnen und dieses Jahr fertig gemacht. — *I started my project in Transition Year/last year and finished it this year.*
   Ich habe viele Stunden/Wochen/Monate daran gearbeitet. — *I worked on it for many hours/weeks/months.*

3. Ich habe teilweise zu Hause und teilweise in der Schulbibliothek gearbeitet. — *I worked partly at home and partly in the school library.*

Opinion on issue

As with the picture sequence, you are asked about the **topic** or topics arising out of your project.

Look at the following examples for ideas on how to approach this section.

key point

There may be **more than one topic. Be prepared!** In this example, **two** main topics spring to mind, **history**, and **comparison with other large cities.**

Sample questions

1. Sie haben gesagt, dass Sie sich für Geschichte interessieren. Machen Sie Geschichte für das „Leaving Cert"? — *You said that you are interested in history. Are you doing History for the Leaving Cert?*
2. Ist Geschichte Ihrer Meinung nach ein wichtiges Fach? — *Is History an important subject in your opinion?*

Sample answers

1. Ja, ich mache Geschichte für das „Leaving Cert". Ich finde das Fach sehr interesssant. — *Yes, I'm doing History for the Leaving Cert. I find the subject very interesting.*
2. Ich glaube, Geschichte ist ein sehr wichtiges Fach. Man kann von der Vergangenheit viel lernen. Man muss zum Beispiel verhindern, dass so etwas wie der Holocaust wieder passiert. — *I think that History is a very important subject. You can learn a lot from the past. For example, we must prevent something like the Holocaust from ever happening again.*

Sample questions

1. Berlin ist sicher eine schöne Stadt mit vielen Sehenswürdigkeiten. Kann man unsere Hauptstadt Dublin mit Berlin vergleichen? — *Berlin is certainly a beautiful city with many tourist sights. Can one compare our capital city, Dublin, with Berlin?*
2. Welche Sehenswürdigkeiten gibt es in Dublin? — *What are the tourist sights in Dublin?*

Sample answers

1. Dublin ist nicht so groß wie Berlin. Dublin hat ungefähr eineinhalb Millionen Einwohner. — *Dublin is not as big as Berlin. Dublin has about one and a half million inhabitants.*
2. Es gibt viele Sehenswürdigkeiten in Dublin und viele Touristen besuchen jedes Jahr die Stadt. — *There are a lot of tourist sights in Dublin and many tourists visit the city every year.*
   Das Book of Kells im Trinity College zieht viele Touristen an. — *The Book of Kells in Trinity College attracts many tourists.*
   Die Nationalgalerie und die Museen sind sehr beliebt. — *The National Gallery and the museums are very popular.*

Der Phoenix Park, einer der größten Parks in Europa, und der Zoo sind auch sehenswert.	*The Phoenix Park, one of the biggest parks in Europe, and the zoo are also worth seeing.*
Der Dom von Sankt Patrick ist historisch und von der Architektur her sehr interessant.	*St Patrick's Cathedral is historically and architecturally very interesting.*
Unsere belebte Einkaufsstraße „Grafton Street" ist auch sehr schön.	*Our busy shopping street, Grafton Street, is also very nice.*

Section three: Role-play

The third section of the Oral Examination is the role-play; it is worth 30 marks. You will have prepared the five role-plays prescribed for your examination. They will be presented (face down) to you and you will select one. You will be given 1 minute to prepare (*eine Minute Zeit*).

Most of the marks in this section are awarded for effective communication. There are five tasks in each role-play. Each task is awarded 4 marks for successful completion, a total of 20 marks. The remaining 10 marks are awarded for vocabulary and accuracy.

Sample role-play (2017–2020)

Problem mit Touristen

Sie arbeiten im Sommer als Fremdenführer/in für eine irische Reisegesellschaft. Sie begleiten eine Gruppe von deutschsprachigen Bustouristen auf einer Rundreise durch Irland. Sie selbst hatten eine kleine Verspätung und merken bereits bei der Abfahrt vom Flughafen: Es gibt einen schwierigen Touristen/eine schwierige Touristin in der Gruppe! Sie versuchen, mit diesem Problem fertig zu werden.

1. **Begrüßen** Sie die Reisegruppe und **stellen Sie sich vor** (Name, Ihre Aufgabe ...). **Kommentieren Sie** das Wetter (es ist nicht gut!).
2. **Fragen Sie**, wie die Reise bisher war. **Reagieren Sie** auf die Beschwerden des schwierigen Touristen/der schwierigen Touristin: (viel zu spät ... nicht informiert worden ...!) **Nennen Sie** die Gründe und **entschuldigen Sie sich.**
3. **Beschreiben Sie** das Programm der ersten zwei Tage: wohin ... wann ... **Hören Sie sich** die Kritik des Touristen/der Touristin **an** und **erklären Sie, warum** das Programm so gewählt wurde (**zwei** Gründe).
4. Der Tourist/die Touristin nörgelt weiter: (Anderes erwartet ... viel Geld bezahlt .../...!) **Antworten Sie** auch darauf: (steht alles im Programm ... Sonderpreis von ... Euro!). **Sagen Sie, warum** bisher immer alle Touristen zufrieden waren (**zwei** Gründe).
5. **Versuchen Sie**, den Touristen/die Touristin **zu beruhigen**: (erstklassiges Hotel ... erst mal entspannen ... tolles Essen ...) **Beenden Sie** die Diskussion **freundlich.**

Der Prüfer/Die Prüferin spielt die Rolle des Touristen/der Touristin.

Problem with tourist

You are working for the summer as a tourist guide for an Irish travel company. You are guiding a group of German-speaking tourists on a bus tour through Ireland. You were a little delayed and when leaving the airport you notice: there is a difficult tourist in the group! You try to deal with the problem.

1. **Greet** the travel group and **introduce yourself** (name, your task ...)
   Comment on the weather (it is not good!)
2. **Ask** how the group has enjoyed the journey so far. **React** to the complaints of the difficult tourist: (much too late ... no information ...!)
   Explain the reasons and **apologise**.
3. **Describe** the programme for the first two days: **where to ... when ...**
   Listen to the tourist's criticism and **explain why** the programme was chosen this way (**two** reasons).
4. The tourist is still complaining: (expected something else ... paid a lot of money .../...!).
   Reply to his/her complaints: (it is all in the programme ... special price at ... Euro!)
   Say why tourists have always been satisfied up to now (**two** reasons).
5. **Try to calm** the tourist **down**: (first class hotel ... relax first ... great food ...)
   Finish the discussion in a **friendly** way.

The examiner will play the role of the difficult tourist.

In order to help you to achieve effective communication and maximise your marks consider the following tips very carefully.

1. Within each task there are **details/sub-tasks** that you should read and understand **fully**.
2. The dialogue should develop **naturally** between you and the examiner. You will work through the tasks **with** the examiner.
3. Sometimes students lose marks here by rushing ahead to the next task without **due completion** of the previous one. **Listen** to the examiner and **react** accordingly.
4. **Don't just read** what is on your card. If you do this you will **lose marks!** Learn to manipulate the language and communicate **meaningfully**. For example, if your role-play card presents you with the following instructions: 'Sagen Sie, wer Sie sind und was Sie wollen', you must **adapt** the language to yourself, i.e. 'Ich heiße ...' and 'Ich will/möchte ...'

5 Pay particular attention to the words highlighted in bold on the role-play card, e.g. **'Sagen Sie'** (*Say*), **'Beantworten Sie'** (*Answer*), **'Beschreiben Sie'** (*Describe*), **'Erklären Sie'** (*Explain*), **'Fragen Sie'** (*Ask*) and prepare accordingly.

6 If you give the role-play due care and time, you should be able to gain **full marks for communication.**

Now pay close attention to the following dialogue. It shows how a role-play **might** develop.

Sample dialogue

Note: Italics indicate the role played by the examiner.

1 Guten Tag. Ich heiße Nora Johnson. Ich bin Ihre Fremdenführerin und begleite Sie auf Ihrer Rundreise durch Irland. Leider ist das Wetter heute nicht so gut.

2 Wie war die Reise bisher?
Warum sind Sie so spät? Wir haben eine gute halbe Stunde auf Sie gewartet.
Bitte entschuldigen Sie, aber es gab unterwegs einen Verkehrsstau.
Aber wir sind nicht informiert worden.
Ich habe versucht, die Reisegesellschaft anzurufen, aber ohne Erfolg. Es tut mir wirklich leid.

3 Wir haben ein interessantes Programm für Sie. Ich hoffe, dass es Ihnen gefällt. Heute haben wir vor, eine Stadtrundfahrt durch Dublin zu machen, und morgen werden wir einen Ausflug nach Glendalough unternehmen. Das ist eine Klostersiedlung in der Grafschaft Wicklow.
Das gefällt mir gar nicht. Nach der Flugreise sind wir alle erschöpft. Ich würde mich lieber zuerst ausruhen. Und eine Klostersiedlung? Wie langweilig!
Die Stadtrundfahrt bietet einen tollen Überblick über Dublin und man sitzt bequem im Bus. Glendalough ist die berühmteste Attraktion im Wicklow-Mountains-Nationalpark. Der Park ist wunderschön und nur etwa eine Stunde von Dublin entfernt. Deswegen wurde das Programm so gewählt.

4 *Ich hatte etwas anderes erwartet. Ich habe so viel Geld bezahlt.*
Es steht alles im Programm, und der Preis von 700€ ist ein Sonderpreis.
Das meinen Sie nicht ernst. Ich finde es echt teuer.
Bisher waren die Touristen immer sehr zufrieden. Sie fanden das Programm sehr interessant. Sie haben die Sehenswürdigkeiten der Hauptstadt und die herrliche Landschaft genossen.

5 *Trotzdem bin ich nicht zufrieden.*
Wir werden in einem erstklassigen Hotel wohnen. Ich hoffe, es wird Ihnen gefallen. Sie können sich dort erst mal entspannen. Heute Abend gibt es außerdem ein tolles Essen.
Na, gut, das klingt nicht schlecht. Mal sehen, wie es läuft. Danke schön.
Nichts zu danken. Ich wünsche Ihnen einen tollen Urlaub in Irland.

Translation

Note: Italics indicate the role played by the examiner.

1 Hello. My name is Nora Johnson. I am your tour guide and will accompany you on your bus tour through Ireland. Unfortunately the weather is not so good today.

2 How was the journey so far?
Why are you so late? We have been waiting a good half-hour for you.
I'm very sorry. There was a traffic jam on the way.
But we were not informed.
I tried to call the travel company but without success. I am really sorry.

3 We have an interesting programme for you. I hope you like it. Today we plan to do a tour of Dublin and tomorrow we will go on a trip to Glendalough. That is a monastic settlement in County Wicklow.
I am not at all happy. We are all exhausted after the flight. I would prefer to rest. And a monastic settlement? How boring!
The tour of Dublin offers a wonderful overview of Dublin and you will be sitting comfortably on the bus. Glendalough is the most famous attraction in the Wicklow Mountains National Park. The park is beautiful and only about an hour from Dublin. That's why the programme was chosen in this way.

4 *I had expected something different. I've paid so much money.*
Everything is in the programme, and €700 is a special price.
You cannot be serious. I think it's really expensive.
Tourists have always been satisfied up to now. They found the programme very interesting. They enjoyed the sights of the capital city and the glorious countryside.

5 *I'm still not satisfied.*
We will be staying in a first class hotel. I hope you like it. You can relax there first. We will also have a wonderful meal this evening.
All right, that doesn't sound bad. We'll see how it goes. Thank you.
You're welcome. I wish you a wonderful holiday in Ireland.

2 Reading Comprehension (*Leseverständnis*)

- To introduce you to a wide variety of reading material.
- To show you how to score highly on comprehension questions.

There are **two** Reading Comprehension passages, each carrying **60 marks**. **Text I** is usually a **literary text**, generally an extract from a fictional work such as a novel or a short story. The second passage, **Text II**, is written in the style of a **newspaper or magazine article** and is factual in content. On **both** passages questions are asked in **German** and in **English** and these are clearly indicated.

There will also be an '**Äußerung zum Thema**' question in which you are asked to express yourself on the theme arising out of **one** of the passages, and an '**Angewandte Grammatik**' question based on the language of the **other** passage. These tasks are each worth **25 marks**.

This section shows you how to go about answering the Reading Comprehension questions. In each of the comprehension sections, literary and journalistic, you will find:

- a past exam question with **guided answers**, indications on how **marks are awarded** and suggestions on how to **maximise your marks**
- three further **sample questions** with **vocabulary aid** and **solutions**

REMEMBER:

1. **Read** the questions on the 'Leseverständnis' **first.** This will give you a good understanding of what the text is about.

2. Don't panic if you see a word or words that you don't understand. It is not always necessary to understand every word to have a good understanding of the text.

3. If a question is asked in English, answer in **English.** If a question is asked in German, answer in **German.**

4. Before you answer a question, make sure that you have read it carefully and that you have chosen the **correct details, the correct number of details** and **the correct source** (**line number where given**).

5. **Check** your answers carefully and make sure you have **included all the relevant details. Remember to exclude extraneous or irrelevant material.**

6. Be familiar with pronouns and possessive adjectives. When you answer a question in German, you frequently have to change pronouns, e.g. *ich gehe* to *er/sie geht* and *mein* to *sein/ihr*, etc.

7. When referring to the narrator of the text (der Erzähler/die Erzählerin), you may use a pronoun to replace the word. Be careful that you use the correct pronoun – **er** (der Erzähler) and **sie** (die Erzählerin).

8. Be familiar with question words, *wo*, *wie*, *wann*, etc.

Text I: Literary comprehension

Timing

You might spend about 30 minutes on one comprehension passage. Do not underestimate the amount of time you need to read the passage.

Exam question: Guided answers

The following guided answers are based on Text I from the **2017** exam paper. The marks awarded for each question are in brackets.

Note: As the layout of the following text is different from the actual exam, the line references have been changed accordingly.

TEXT I: LESEVERSTÄNDNIS (60)

Markus Mehring war vier-oder fünfunddreißig Jahre alt, oft wusste er das selbst nicht genau. Er lebte in einer Zweizimmerwohnung mit
5 einer Kochecke und einem kleinen Balkon. Von seinen Nachbarn unterschied ihn, dass er keinen Fernseher hatte. Stattdessen las er Abenteuerromane, am liebsten *Moby*
10 *Dick* – viermal schon. Er arbeitete in einem Amtsgebäude; dort hatte er einen Schreibtisch und Stempel und viele Kugelschreiber, Telefon brauchte er keines. Er musste Formulare
15 durchsehen, ausgefüllt von Leuten, die Wichtigeres zu tun hatten, und darin nach Fehlern suchen. Fand er welche, musste er das Formular an eine andere Abteilung weitersenden.
20 Er wusste: Es gab schlimmere Jobs. Als Staatsangestellter war er unkündbar. Einmal im Jahr nahm er einen Zug und fuhr in eine Ferienpension in einer grünen und hügeligen Landschaft,
25 wo er zwei Wochen verbrachte. Weihnachten feierte er mit seinem tauben Großonkel, einem ehemaligen Lokomotivführer. Einmal im Monat besuchte er seine Schwester und
30 ihren Mann und brachte den Kindern Schokolade mit. Im Lotto gewann er nie, und er hatte keine Zeitung abonniert. Als Mitglied des Buchklubs bekam er viermal jährlich einen neuen
35 Katalog. Markus lebte ein ruhiges Leben.

Aber dann geschah es, dass sein Leben sich mit dem einer jungen Frau kreuzte; sie hieß Elvira Schmidt
40 und arbeitete seit vier Jahren bei der *Kreditbank*, bei der Markus ein Konto hatte. Elvira war mit dem Chef einer bekannten Getränkefabrik verlobt. Eines Abends gab es einen unschönen Streit
45 zwischen Elvira und ihrem Verlobten und am nächsten Morgen in der Bank hing Elvira den traurigsten Gedanken nach. Halbblind von Tränen machte sie einen Fehler. Sie tippte Reihen von
50 Zahlen in den Computer und drückte eine falsche Taste*. Sofort rasten Impulse durch die elektronische Welt und danach war Markus Mehrings Leben nicht mehr das alte.

55 Als er von der Arbeit kam, fielen die ersten Tropfen; als er die Haustür erreichte, der erste Donnerschlag. Von seinem Fenster aus sah er den Widerschein der Blitze über die Dächer
60 fliegen; der Sturm raste. In dieser Nacht schlief Markus nur wenig. Der Regen trommelte gegen die Scheiben und gegen sein Leben. Und der Wind lärmte, als ob die ganze Welt in Bewegung
65 war. Als er am Morgen danach die Augen öffnete, regnete es immer noch.

Aber sanft und aus heller Luft; fast wie im Sommer. Zähne geputzt, gewaschen, angezogen, die Krawatte
70 um den Hals, ins graue Jackett. Nur nicht zu spät sein!

Beim Hinausgehen trat Markus auf Papier. Die Post: zwischen Broschüren und Prospekten ein
75 Brief von der *Kreditbank* mit seinem Kontoauszug. Er öffnete ihn und war nicht wirklich erstaunt. Auch Banken machen Fehler. Er war verwirrt. Und bekam plötzlich keine Luft mehr. Ihm
80 wurde heiß, die Welt um ihn herum schwankte hektisch. Er starrte auf das Papier und begann vorsichtig, die Nullen hinter der ersten Zahl zu zählen. Von Null zu Null wurde die
85 Summe größer und größer, stieg in Regionen purer Mathematik. Und doch war das Geld. Geld! Geld auf seinem Konto. Aber natürlich nicht sein Geld. Ein Irrtum, ein Druckfehler.

90 Zumindest einen Versuch könnte man wagen. Ein kleiner Scherz nur, nichts Riskantes. Wie wäre zum Beispiel: „Ich möchte mein Konto auflösen*"? Dann würden sie es wohl
95 merken. Aber vielleicht, vielleicht – ja, vielleicht auch nicht.

Er ging los, zuerst langsam, dann schneller und schneller. Die *Kreditbank*. Ein silbernes Gebäude,
100 die große Halle kristallhell; jeder Zentimeter glänzend von Reichtum und Eleganz. Die gläserne Tür öffnete sich, und Markus Mehring trat ein. Er nestelte nervös an seinem
105 Krawattenknoten, ging zum Schalter und sagte: „Ich möchte mein Konto auflösen*." Das junge Mädchen lächelte nett, tippte seine Kontonummer in die Computertasten* und wurde plötzlich
110 ernst. „Wollen Sie das wirklich *alles* mitnehmen? *All* das Geld?"

Markus Mehrings Herz klopfte lauter und lauter, das Klopfen stieg in seinen Hals und dröhnend in seinen Kopf.
115 Er nickte. „Jawohl. In bar*, wenn es geht." Das Mädchen sah ihn ratlos an, dann den Computer, dann wieder ihn. „Würden Sie bitte einen Moment warten?" Markus legte die Hände auf
120 den kalten Marmor. Er wartete ...

Mit einem Koffer voller Geldscheine verließ er die Bank. Es regnete noch. Und jetzt? Geradeaus? Nach rechts? Links? Wohin überhaupt?

125 Ein Taxi hielt. Ein großer, weißer Mercedes, poliert und mit spiegelnden Scheiben. Markus starrte ihn an, streckte langsam die Hand nach der Wagentür aus. Und dann saß Markus
130 im Auto. „Also? Wohin?", fragte der Fahrer.

Ja, wohin? Nach Hause? Aber dort suchten sie ihn vielleicht schon. „Zum Flughafen", sagte Markus. „Zum
135 Flughafen."

Nach DANIEL KEHLMANN: *Bankraub*

* Taste *eochair (ar ríomhaire)/(computer) key*
(ein) Konto auflösen *cuntas a dhúnadh/to close an account*
in bar *airgead tirim/cash*

Beantworten Sie Frage 1(a), (b), (c) und (d) auf Deutsch. Bitte schreiben Sie nicht direkt vom Text ab, sondern formulieren Sie Ihre eigenen Sätze!

1. (a) Wie würde Markus Mehring sein Leben und seinen Beruf beschreiben?
(Zeile 1–25 / 33–36)

Schreiben Sie je drei kurze informative Sätze (Präsens) in der *Ich*-Form.

Mein Leben:

(i)..
(ii) ....
(iii)...

Mein Beruf:

(i)..
(ii) ....
(iii)...

(b) Was erfahren wir über Markus Mehrings Familie? Nennen Sie Details. (Zeile 26–31)

....
....
....

(c) Wer ist Elvira Schmidt? Nennen Sie zwei Details. (Zeile 37–54)

....
....
....

(d) Elvira macht einen Fehler. Was macht sie und warum? (Zeile 37–54)

Was: ....
....
Warum: ....
....

Answer Questions 2, 3 and 4 in English.

2. (a) How does the weather change after Markus comes home from work? Give details (lines 55–71)

....
....
....

(b) Markus receives a bank statement in the post. Describe his reaction and his thoughts. (lines 72–96)

....
....
....

3. (a) What action does Markus eventually take? Give details. (lines 97–120)

....
....
....
....

(b) What does Markus do after leaving the bank? Give details. (**lines 121–135**)

....

....

....

....

4. Read **Text I** again. In this text Markus changes from being predictable to becoming spontaneous. Give **four** examples illustrating this change. (Can be ***language use*** **and/or** ***content***.)

....

....

....

....

TEXT I: ANGEWANDTE GRAMMATIK (25) (See guided answers pages 106–107).

1. Sie sehen unten Sätze, in denen **bestimmte Artikel** unterstrichen sind. Sehen Sie sich das Beispiel an. Geben Sie nun zu den anderen **fünf bestimmten Artikeln** jeweils an:

   - ob Singular oder Plural
   - bei Singular das Geschlecht (Femininum, Maskulinum, Neutrum)
   - den Fall (Nominativ, Akkusativ, Dativ, Genitiv)

   Beispiel: Markus musste *das* Formular an eine andere Abteilung weitersenden.
   das: Singular, Neutrum, Akkusativ

   (1) Als Mitglied des Buchklubs bekam er viermal im Jahr einen Katalog.

   ....

   (2) Elvira tippte Reihen von Zahlen in den Computer.

   ....

   (3) Als Markus von der Arbeit kam, fing es an zu regnen.

   ....

   (4) Der Regen trommelte gegen die Scheiben.

   ....

   (5) Markus legte die Hände auf den kalten Marmor.

   ....

2. Schreiben Sie die folgenden unterstrichenen Verben **im Präsens** wie im Beispiel.

   Beispiel: Markus Mehring war vier- oder fünfunddreißig Jahre alt.
   Markus Mehring *ist* vier- oder fünfunddreißig Jahre alt.

   (1) Am liebsten las er Abenteuerromane.
   Am liebsten .... er Abenteuerromane.

   (2) Er arbeitete in einem Amtsgebäude an einem Schreibtisch.
   Er .... in einem Amtsgebäude an einem Schreibtisch.

   (3) Es gab aber schlimmere Jobs als seinen.
   Es .... aber schlimmere Jobs als seinen.

(4) Einmal im Jahr fuhr er in eine Ferienpension.
Einmal im Jahr .... er in eine Ferienpension.

(5) Im Lotto gewann er nie.
Im Lotto .... er nie.

Having read the questions, read through the text. Then look at the questions individually, paying close attention to the **line indications**.

As you carefully **re-read** the lines, be careful to **extract** the correct information. In other words, do not give irrelevant information just because it is between the lines!

Note: Stroke (/) indicates alternatives. Information within round brackets ( ) is correct but not essential for marks.

If you do not answer in the **language specified**, you will lose marks, even if the information is correct.

Often the dominant tense of narrative fiction written in the past is the **imperfect** (*Präteritum*). It is important to revise and be familiar with verbs in this tense. Refer to the list of verbs on pages 124–126.

Question 1 is in **German**. Do as instructed: 'Bitte schreiben Sie **nicht** direkt vom Text ab, sondern formulieren Sie Ihre eigenen Sätze.' Do not copy word for word from the text. Write your own sentences.

When you answer questions in German, it is very important that you **manipulate** the language. To take a simple example, if you are asked 'Wo wohnte die Frau?' and you find the answer in a text thus: 'Ich wohnte bei meinen Eltern', you must answer '**Sie** wohnte bei **ihren** Eltern.'

Text 1 Literary Comprehension (2017)

1 (a) You are asked how Markus Mehring would describe his life and his career. Note the phrase **je drei** written in **bold**. This is important. It means that you must answer with **three** sentences in **each** category, i.e. six sentences in total. These sentences must be in the present tense and in the *ich* form. It is therefore very important that you use the correct pronoun – *er* will change to *ich* and of course the verb must also change accordingly. Use of the wrong tense or wrong pronoun will be penalised. There are several details about his life and career between the lines 1 and 19. In the first sentence we learn that he is 34 or 35 years old – *Markus Mehring war vier- oder fünfunddreißig Jahre alt.* You will notice that the sentence is in the past tense and you must write in the present tense. What would he say if he was speaking about himself in the present tense? The answer is: *Ich bin vierunddreißig Jahre alt / Ich bin fünfunddreißig Jahre alt.* Continue to extract the relevant information in this way and remember to change *er* to *ich* and to put the verb into the present tense. *Er wohnte* becomes *Ich wohne* and *Er hatte* becomes *Ich habe.*

Answer: (Any three: 3 × 1)

Mein Leben:

(1) Ich bin vierunddreißig Jahre alt / Ich bin fünfunddreißig Jahre alt.
(2) Ich wohne / lebe in einer Zweizimmerwohnung, mit Kochecke und Balkon.
(3) Ich habe keinen Fernseher.
(4) Ich lese Abenteuerromane. // Am liebsten lese ich *Moby Dick.* // *Moby Dick* habe ich schon viermal gelesen.
(5) Ich fahre einmal im Jahr (mit dem Zug) für zwei Wochen in eine Ferienpension. // Ich mache einmal im Jahr zwei Wochen Urlaub auf dem Land.
(6) Ich habe keine Zeitung abonniert.
(7) Ich bin Mitglied in einem Buchklub. // Ich bekomme viermal im Jahr den Buchklub-Katalog.
(8) Ich lebe ein ruhiges Leben.

Mein Beruf: (Any three: 3 × 1)

(1) Ich arbeite in einem Amt / Amtsgebäude.
(2) Ich habe einen Schreibtisch.
(3) Ich sehe Formulare durch / muss Formulare durchsehen.
(4) Ich suche (darin) nach Fehlern / muss (darin) nach Fehlern suchen.
(5) Ich schicke / sende die Formulare an eine andere Abteilung weiter / muss sie ... weitersenden.
(6) Ich weiß, dass es schlimmere / schlechtere Jobs als meinen gibt.
(7) Ich bin Staatsangestellter / ich bin unkündbar. // Als Staatsbeamter bin ich unkündbar. // Ich kann meinen Job nicht verlieren.

(b) You are asked what we learn about Markus Mehring's family and to give details. How many details? The question does not specify. Give as much information as you can within the space and time.
(N.B. The verb *erfahren* is often used to seek information in comprehension questions. Be familiar with the word. It means to learn or find out about something or someone.)

Answer: (Any three: 3 × 2 marks)

(1) Er hat einen Großonkel.
(2) Der Großonkel ist taub.
(3) Sein Großonkel war früher Lokomotivführer / ist ein ehemaliger Lokführer.
(4) Weihnachten feiert er mit ihm / seinem Großonkel.

(5) Er hat eine Schwester.
(6) Sie ist verheiratet / hat einen Mann.
(7) Sie hat / sie haben Kinder. // Er hat Neffen / Nichten.
(8) Er besucht sie einmal im Monat.

(c) You are asked who *(wer)* Elvira Schmidt is and to give two details. There is a lot of extraneous information in this section that is not relevant. Be careful to extract the relevant information from within the specified lines.

Answer: (Any two: 2 × 1 mark)
(1) Sie ist jung / eine junge Frau.
(2) Sie arbeitet bei der Kreditbank / ist Bankangestellte.
(3) Sie ist verlobt. // Ihr Verlobter ist der Chef einer Getränkefabrik.

(d) You are told that Elvira makes a mistake *(Fehler)*. You must answer **what** mistake and **why** she makes it. The answers to these questions are contained between lines 37 and 54. It is important to read carefully this entire paragraph as it gives essential information. The sentence that begins with the words *Eines Abends gab es einen unschönen Streit ...* gives you specific information vital for this question. We are told that Elvira had a quarrel *(Streit)* with her fiancé *(Verlobten)* and the next day the sad memory of this weighed heavily on her – *am nächsten Morgen hing Elvira den traurigsten Gedanken nach*. You do not need to know what every word means but work out the gist. *Traurig* and *Gedanke* are words that should be familiar ('sad' and 'thought'). It is clear that Elvira's quarrel with her fiancé the day before made her sad. The next sentence tells us what effect this had on her – *Halbblind von Tränen* (tears) *machte sie einen Fehler*. It caused her to make a mistake. The next sentence tells us what that mistake was. *Sie tippte Reihen von Zahlen in den Computer und drückte eine falsche Taste.* The word *Taste* is given. So, putting all the essential information together, you can work out that she pressed the wrong key on the computer and it was because she was upset/sad as a result of the quarrel with her fiancé.

N.B. This question is asked in the present tense: *Elvira macht einen Fehler. Was macht sie und warum?* Remember to answer in the present tense.

Answer:
Was?
Sie drückt eine falsche Taste. (2 marks)
Warum? (Any two: 2 × 2 marks)
(1) Sie hat Streit (mit ihrem Verlobten).
(2) Sie ist traurig / hat traurige Gedanken.
(3) Sie ist halbblind von Tränen / hat Tränen in den Augen / weint.

Now to the questions in **English**. These are often the more testing as they require a good knowledge of vocabulary. You must be able to translate or interpret the words in your own language.

2 (a) You are asked for details on how the weather changes after Markus comes home from work. Assuming you are reasonably familiar with weather vocabulary, this question should not be too difficult. But remember the emphasis is on how the weather changes. Certain key words are important to gain full marks. Read the sentence carefully – *als er von der Arbeit kam, fielen die ersten Tropfen*. The first drops were falling. It was beginning to rain. Then *der erste Donnerschlag*, the first burst of thunder. Then came lightning (*Blitze*), storm (*Sturm*), rain (*Regen*) and wind (*Wind*).

Answer: (Any two: 2 × 2 marks)

(1) starts to rain/first drops of rain are falling
(2) there is thunder/lightning
(3) storm(y)
(4) wind(y)

(b) Some detail is required here to describe the reaction **and** thoughts on receiving a bank statement. The first pointer for this question comes with the words *ein Brief von der Kreditbank*. When he saw the bank statement, he was not really surprised. Even banks make mistakes (*nicht wirklich erstaunt. Auch Banken machen Fehler.*) (thought). You continue in this way to find his reaction and thoughts. Be sure to cover both in your answer. Examples of how he reacts would be: *Er starrte auf das Papier* (He stared at the paper). *Er begann vorsichtig, die Nullen ... zu zählen* (He began counting the zeros). Examples of thoughts: *Er war verwirrt* (He was confused). *Aber nicht sein Geld. Ein Irrtum, ein Druckfehler.* (He thinks it can't be his money, it must be a mistake.)

Answer: (Any five: 5 × 2 marks)

Thoughts:

(1) He is not really surprised – even banks make mistakes.
(2) He is confused.
(3) He sees the amount of money growing and realises that this is money in his account.
(4) He thinks it can't be his money – it must be a mistake, a misprint.
(5) He considers taking the money.
(6) It would be just a joke, nothing risky.
(7) He considers closing the account.
(8) The bank might or might not notice it.

Reaction:

(1) He can't breathe.
(2) He feels hot.
(3) The world around him starts to sway.
(4) He stares at the statement/paper.
(5) He starts counting the zeros.

3 (a) The question is straightforward. There is quite a lot of detail in this section. The question is centred on 'action'. Extraneous content focused on 'description' will probably not be relevant, e.g. *Ein silbernes Gebäude, die große Halle kristallhell.* You concentrate on what he actually <u>does</u>. Verbs will be very important. *Er ging los ... die Kreditbank* and *er trat ein.* So we know he goes to the bank. ... *er ging zum Schalter und sagte: „Ich möchte mein Konto auflösen.*" The meaning of *Konto auflösen* is helpfully explained. He goes to the counter and <u>asks</u> to close his account. Finally when asked if he wants all his money (*all das Geld),* what does he do? *Er nickte* (nodded) and answered *„Jawohl, in bar, wenn es geht.*" He says yes and asks for cash. **N.B.** Once again, you will notice that the question is asked in the present tense and should be answered in the present tense, even though the story is told in the past tense.

Answer: (Any three: 3 × 2 marks)

(1) He goes to the bank building/enters the bank.
(2) He goes to the counter/cashier/teller.
(3) He says he wishes to close his account.
(4) He requests the cash.
(5) He puts his hand on the cold marble and waits.

(b) This question is similar to the last one. What does Markus do after leaving the bank? He has to make up his mind where to go – *nach rechts? Links? Wohin* überhaupt*?* The remaining action centres on his decision to take a taxi and go straight to the airport.

Answer: (Any four: 4 × 2 marks)

(1) He wonders where to go.
(2) He stares at the taxi/Mercedes.
(3) He reaches for the door of/gets into the taxi.
(4) He thinks about/decides against going home.
(5) He considers they might be looking for him there already.
(6) He decides to go to the airport/tells the driver to go to the airport.

4 This last question requires an **understanding of the text**. You have already dealt with the content in some detail as you answered the other questions, and this question should not cause any anxiety. You are asked to give **four** examples illustrating how Markus changes from being predictable to spontaneous. The answers can be language use and/or content. When giving examples, you should indicate if the example is content or language. When giving examples of language in German, explain or paraphrase in English, why they illustrate the point. There are lots of examples to choose from, so don't panic if you do not understand every word. Your grasp of Markus Mehring's actions will help you, starting with his rather predictable life as depicted in the opening paragraph and ending with his impulsive decision to go to the airport. Make sure to emphasise the element of contrast in each of your examples.

Answer: (Any four: 4 × 3 marks)

(Content)

(1) Looks for mistakes every day. Now overlooks a mistake./Used to pass on mistakes to others. Now he himself exploits a mistake.
(2) Normally goes home every day. Now decides not to/decides to go to the airport.
(3) Went on same holiday every year. Now his destination is unknown/open.
(4) Life used to be calm. Now he is confused/doesn't know in which direction to go.
(5) His world used to be very regular, routine, slow (for example, his daily work was repetitive). Now he acts quickly/impulsively (for example, he went to the bank and withdrew all the money from his bank account).
(6) Never won money in the lottery. Now he gets money without having bought a ticket.
(7) Never took risks. Now decides to risk getting away with the money.
(8) Used to make sure to be on time for work. Now he goes to the bank, first thing.
(9) Used to show no emotion. Now he can't breathe/feels hot/his heart pounds.
(10) Before he left decisions to others. Now he makes decisions.
(11) Before he read about adventures. Now he sets out on an adventure.

(Language)

(1) But then ... (*Aber dann ...*) signifies a change (l. 37)
(2) The world swayed wildly. (*Die Welt schwankte hektisch.*) (ll. 80–81)
(3) Change from Indicative to use of Subjunctive (*könnte* (l. 90); *wäre* (l. 92) suggests new possibilities).
(4) Repetition of 'Geld': ... *das Geld. Geld! Geld auf* ... (l. 87)
(5) Contrast of 'vielleicht' and 'vielleicht auch nicht' (*Aber vielleicht, vielleicht – ja vielleicht, auch nicht.*) (ll. 95–96)
(6) Use of contrasting adverbs: 'slowly, but then faster and faster.' (ll. 97–98)
(7) Pathetic fallacy: the change in the weather mirrors / foreshadows / is a metaphor for the change he undergoes.

As you see, it is well worth the time you spend **reading** the comprehension passages. Accurate information is rewarded. **More marks are awarded for this section than for any other section of the written paper**.

Now **test yourself** with further sample comprehension questions. Then check your answers. The pages with the solutions are **clearly indicated**. Vocabulary is given at the end of each passage to help you along the way.

Sample literary comprehension questions

The text is an extract from a literary work. Questions are asked in German and English and these are clearly indicated. **Question 4** is an in-depth question, which requires close examination of the whole text.

Sample question 1

(Solutions on pages 91–93)

TEXT I: LESEVERSTÄNDNIS (60)

Ich ging durch die Straßen des
Viertels, schmale baumlose Straßen.
Hier wohnten früher Hafen- und
Werftarbeiter. Inzwischen waren die
5 Häuser renoviert und die Wohnungen
– die City ist nicht weit – luxuriös
ausgestattet worden. In den früheren
Milch-, Kurzwaren- und
Kolonialwarenläden hatten sich
10 Boutiquen, Coiffeurs und
Kunstgalerien eingerichtet.
Nur das kleine Papierwarengeschäft
von Herrn Zwerg gab es noch. In dem
schmalen Schaufenster stand inmitten
15 von angestaubten Zigarren-, Zigarillo-
und Stumpenkisten ein Mann mit
Tropenhelm, in der Hand hielt er eine
lange Pfeife.
Ich fragte Herrn Zwerg, ob Frau
20 Brücker noch lebe, und wenn, wo.
Was wollen Sie denn, fragte er mit
geballtem Misstrauen. Der Laden ist
schon vermietet.
Ich erzählte ihm, als Beweis dafür,
25 dass ich ihn von früher her kenne, wie
er einmal, es muss 1948 gewesen sein,
auf einen Baum gestiegen sei; der
einzige Baum hier in der Gegend, der
nicht in den Bombennächten
30 abgebrannt oder später nach dem Krieg
zu Brennholz zersägt worden war. Es
war eine Ulme. Auf die war eine Katze
vor einem Hund geflüchtet. Sie war
hoch und immer höher gestiegen, bis sie
35 nicht mehr zurückklettern konnte. Eine
Nacht hatte sie im Baum gesessen, auch
den folgenden Vormittag noch, dann
war Herr Zwerg, der bei den
Sturmpionieren gedient hatte, unter den
40 Augen vieler Neugieriger dem Tier
nachgestiegen. Die Katze war aber vor
ihm höher und noch höher in die
Baumkrone geflüchtet, und plötzlich saß
auch Herr Zwerg hoch oben im Baum
45 und konnte nicht mehr heruntersteigen.
Die Feuerwehr musste kommen und
holte mit einer Leiter beide, Herrn Zwerg
und die Katze, aus dem Baum. Meiner
Erzählung hatte er schweigend
50 zugehört. Er drehte sich um, nahm sein

linkes Auge heraus und putzte es mit einem Taschentuch. Das waren Zeiten, sagte er. Er setzte sich das Auge wieder ein und schnupfte sich die Nase 55 aus. Ja, sagte er schließlich, ich war überrascht, als ich so weit oben saß, konnte von oben die Distanz nicht recht abschätzen.

Er war von den alten Bewohnern der 60 letzte in dem Haus. Vor zwei Monaten hatte ihm der neue Hausbesitzer eine Mieterhöhung angekündigt. Die war nicht mehr bezahlbar. Würd ja noch weitermachen, auch wenn ich nächstes 65 Jahr achtzig werd. Kommt man so ja unter die Leute. Rente? Schon. Verhungern kannste nich* davon, aber leben auch nich. Jetzt kommt hier ne Vinothek rein. Dachte zuerst, is* so was 70 wie 'n Musikgeschäft. Frau Brücker? Nee, is* schon lange weg. Die is* bestimmt schon nicht mehr.

Ich habe sie dann doch noch getroffen. Sie saß am Fenster und 75 strickte. Die Sonne schien abgemildert durch die Stores. Es roch nach Öl, Bohnerwachs* und Alter. Unten im Empfang saßen rechts und links an den Korridorwänden viele alte Frauen 80 und ein paar alte Männer, Filzhausschuhe an den Füßen, orthopädische Manschetten an den Händen, und starrten mich an, als hätten sie seit Tagen auf mein 85 Kommen gewartet. 243 hatte mir der Pförtner als Zimmernummer gesagt. Ich war zum Einwohnermeldeamt gegangen, dort hatte man mir ihre Adresse gegeben, ein städtisches 90 Altersheim in Harburg.

Ich habe sie nicht wiedererkannt. Ihr Haar war, schon als ich sie zuletzt gesehen hatte, grau, aber jetzt war es dünn geworden, ihre Nase schien 95 gewachsen zu sein, auch das Kinn. Das früher leuchtende Blau ihrer Augen war milchig. Allerdings waren ihre Fingergelenke nicht mehr geschwollen.

100 Sie behauptete, sich deutlich an mich erinnern zu können. Kamst als Junge auf Besuch, nich, und hast bei der Hilde iner Küche gesessen. Später warst manchmal am Imbissstand. Und dann 105 bat sie mich, mein Gesicht anfassen zu dürfen. Sie legte das Strickzeug aus den Händen. Ich spürte ihre Hände, ein flüchtig tastendes Suchen. Zarte, weiche Handflächen. Die Gicht* is weg, dafür 110 kann ich nix mehr sehen.

UWE TIMM, *Die Entdeckung der Currywurst*

* kannste nich = kannst du nicht
is = ist
Bohnerwachs *floor polish or wax*
Gicht *gout*

Vocabulary

ausstatten *to provide/furnish*
einrichten *to furnish*
geballt *unmitigated/concentrated*
das Misstrauen *mistrust*
die Leiter *ladder*
abschätzen *to estimate*
die Mieterhöhung *rent increase*
die Rente *pension*
Stores (mpl.) *curtains*
die Manschetten (fpl.) *cuffs*
das Einwohnermeldeamt *residents' registration office*
sich erinnern an *to remember*

Beantworten Sie Frage 1(a), (b), (c) und (d) auf Deutsch.

1. (a) In diesem Text besucht der Erzähler ein Viertel, das er früher als Kind kannte. Wie hat sich inzwischen das Viertel verändert? Nennen Sie drei Details. (Zeile 1–11)

   ....

   ....

   ....

   (b) Welches Geschäft und welche Person hat der Erzähler gleich erkannt? (Zeile 12–20)

   ....

   ....

   (c) Warum gab es nach dem Krieg nur einen einzigen Baum in der Gegend? Nennen Sie zwei Gründe. (Zeile 28–32)

   ....

   ....

   (d) Warum war Herr Zwerg auf diesen Baum gestiegen? (Zeile 32–42)

   ....

   ....

Answer Questions 2, 3 and 4 in English.

2. (a) What effect did the narration of the tree-climbing incident have on Herr Zwerg? Mention two details. (lines 49–58)

   ....

   ....

   (b) Describe, giving two details, the financial hardship suffered by Herr Zwerg. (lines 60–68)

   ....

   ....

3. (a) Describe, with four details, the narrator's impression or observation of the old people's home in Harburg. (lines 73–85)

   ....

   ....

   (b) Mention four changes the narrator noticed in Frau Brücker since he had seen her last. (lines 91–99)

   ....

   ....

4. In the story the author creates an atmosphere of nostalgia and sadness. Read through the text again and give **four** examples of how the author achieves this. You may refer to language use or content.

....

....

....

....

TEXT I: ANGEWANDTE GRAMMATIK (25)

1. (a) Setzen Sie bitte in den Text unten jeweils das richtige **Relativpronomen** ein.

Der Erzähler ging durch die Straßen, **(1) die** er von früher kannte. Die Läden, in **(2)** .... früher Kurzwaren und Kolonialwaren verkauft wurden, waren jetzt Boutiquen und Kunstgalerien. Der Erzähler erkannte den Mann, **(3)** .... das Papierwarengeschäft besaß. Die Geschichte, **(4)** .... er erzählte, machte Herrn Zwerg traurig. Herr Zwerg erinnerte sich an den Baum, auf **(5)** .... er einmal gestiegen war. Die Frau, nach **(6)** .... der Erzähler fragte, wohnte nicht mehr im Haus.

(b) Geben Sie nun an:
- (i) den Fall (Nominativ, Akkusativ, Dativ, Genitiv)
- (ii) ob Singular oder Plural
- (iii) bei Singular das Geschlecht (Femininum, Maskulinum, Neutrum)

Beispiel

(1) **die: Akkusativ, Plural**
(2) ....
(3) ....
(4) ....
(5) ....
(6) ....

2. (a) Ergänzen Sie folgende Sätze. **Die Sätze sollen den Inhalt des Textes widerspiegeln.**

Beispiel

Herr Zwerg stieg auf den Baum, aber *er konnte nicht heruntersteigen*.

(1) Herr Zwerg klagte über die Mieterhöhung, die ....

....

(2) Der Erzähler ging zum Altersheim, um ....

....

(3) Der Erzähler sah Frau Brücker und merkte, dass..........................

....

(4) Frau Brücker erinnerte sich an den Erzähler, der. . . . .

. . . .

(5) Frau Brücker wollte das Gesicht des Erzählers anfassen, weil. . . . .

. . . .

(b) Im Text benutzt der Autor indirekte Rede und Fragen. Im Beispiel unten wurde ein Satz in direkte Rede umgeschrieben.

Beispiel

Ich erzählte ihm ... wie er einmal, es muss 1948 gewesen sein, auf einen Baum gestiegen sei. (Zeile 24–27) ➜ Ich erzählte: „Sie sind einmal, es muss 1948 gewesen sein, auf einen Baum gestiegen."

Schreiben Sie jetzt den Satz unten in eine direkte Frage um.

Ich fragte Herrn Zwerg, ob Frau Brücker noch **lebe**. (Zeile 19–20)
Ich fragte Herrn Zwerg: „. . . . . ?"

Sample question 2

(Solutions on pages 94–95)

TEXT I: LESEVERSTÄNDNIS (60)

Drei junge Männer werfen mit Steinen und Yildiz sagt zu Hause nicht die Wahrheit

Der erste Stein flog vorbei. Der zweite traf sie am Hals. Der dritte Stein schlug eine große Fensterscheibe kaputt. Yildiz rannte, bis sie keine Luft mehr hatte. Wer sind die (5) Männer, die mit Steinen nach mir geworfen haben?, dachte sie. Die drei mit den Glatzköpfen? Yildiz sah sich um. Nein, die drei sind in eine andere Richtung gelaufen. Gott sei Dank.

(10) Yildiz fasste sich an den Hals. An ihrer Hand war Blut. Sie presste ein Papiertaschentuch auf die kleine Wunde. Was wollten die Kerle von mir?, dachte sie. Warum haben die gerade mich mit Steinen (15) beworfen? Sehe ich anders aus als andere Mädchen? Sie hatte dunkelbraunes langes Haar und trug Jeans und Turnschuhe wie andere Mädchen. Ich kenne die Glatzköpfe doch gar nicht, dachte sie.

(20) Yildiz versuchte, ruhig zu werden. Wenn sie nach Hause kam, wollte sie nicht gefragt werden, was passiert war. Nicht von ihren Eltern und schon gar nicht von ihrem Bruder Murat. Der sagte sowieso (25) bei jeder Gelegenheit: Bleib unter unseren Leuten. Für die Deutschen bist du nur Ausländerin.

Wussten die drei, dass sie Türkin war? Von wem? Von Markus' Bruder Ben etwa? (30) Sie sprach so gut Deutsch wie jeder andere Deutsche, war in dieser kleinen Stadt geboren, ging aufs Gymnasium und alle riefen sie nur Yil. Sie überlegte, was sie zu Hause sagen sollte. Auf keinen Fall durfte ihre Familie (35) wissen, dass man sie mit Steinen beworfen hatte. Ihre Eltern würden sie nie mehr allein aus dem Haus lassen. Und Murat würde mit seinen Freunden tagelang durch die Stadt ziehen und jeden zusammenschlagen, der (40) seinen Kopf kahl geschoren hatte. Murat dachte immer, er als großer Bruder müsse sie beschützen. Dabei war er erst achtzehn, nur zwei Jahre älter als sie.

Nein, sie würde zu Hause einfach (45) sagen, dass sie beim Volleyballspielen mit Ulrike zusammengestoßen sei und

Ulrike sie mit ihren langen Fingernägeln am Hals gekratzt habe. Ulrike ist ihre beste Freundin. Auf die konnte sie sich verlassen, wenn jemand danach fragte.

„Bist du es, Yili?" Durch die offene Wohnzimmertür sah Yildiz, dass Besuch da war, ein Freund ihres Vaters mit seiner Frau. Sie sagte: „Hallo! Ich komme gerade vom Sport, will mich nur noch schnell duschen!" In ihrem Zimmer betrachtete sie vor dem Spiegel den kleinen Kratzer am Hals. Es war eigentlich gar nicht schlimm. Yildiz dachte wieder: Die haben bestimmt nicht mich persönlich gemeint. Ich kenne die doch gar nicht. Trotzdem würde sie nicht darüber reden, auch nicht mit Markus, ihrem Freund.

Sie wusste, wie Markus über Skins und Rechtsradikale dachte. Der würde doch glatt ausrasten. Ob die Typen wussten, dass sie oft mit Markus zusammen ist?

Yildiz ging ins Bad und duschte lange. Sie musste etwas von sich abspülen: Angst, Scham, Hilflosigkeit. Darüber konnte sie nicht einmal mit Ulrike reden. Die würde nur sagen: Solche blöden Typen gibt's überall. Mach dir nichts draus, Yil.

Yildiz ging ins Wohnzimmer hinunter, um die Gäste zu begrüßen. Der Freund ihres Vaters erzählte gerade vom Urlaub in der Türkei. Sie hatten von dem Geld, das sie in Deutschland gespart hatten, in Anatolien ein Grundstück gekauft. Darauf wollten sie ein Haus bauen. Auch die Eltern von Yildiz wollten das so machen, wenn sie später einmal in die Türkei zurückkehrten.

Yildiz erschrak, als sie die Stimme ihres Vaters hörte: „Hast du keinen Hunger, Töchterchen? Iss doch was!" Serdal Toluk war stolz auf seine Tochter. „Ich habe nicht viel Hunger", sagte sie und nahm nur etwas Obst. Plötzlich sah ihr Vater die Wunde am Hals. „Was ist passiert, Töchterchen?", fragte er. Yildiz wurde nicht einmal rot, als sie ihre Geschichte vom Volleyballspielen erzählte. Ein Glück, dass sie sich dies vorher ausgedacht hatte.

An diesem Abend ging Yildiz bald in ihr Mansardenzimmer. Sie nahm ein Buch und versuchte zu lesen. Aber sie konnte sich nicht konzentrieren. Dann hörte sie, wie die Eltern die Gäste verabschiedeten. Schnell löschte sie das Licht. Gleich würde Mama hochkommen und fragen, was los gewesen war. Aber sie würde auch ihr nichts sagen. Leise öffnete Fatma Toluk die Tür. Yildiz rührte sich nicht. Sie atmete auf, als die Mutter wieder aus dem Zimmer ging. Morgen fragte Mama vielleicht nicht mehr.

Yildiz liebte ihre Mutter sehr. Die hatte ihr einmal erzählt, wie schwer der Anfang in Deutschland für die Eltern gewesen war. Fatma Toluk war damals noch sehr jung gewesen, hatte kein Wort Deutsch verstanden und oft Angst vor dem fremden Land gehabt. Das Heimweh brannte in ihr wie Feuer.

Yildiz zog die Decke über den Kopf und weinte. Sie fühlte sich plötzlich so einsam, hilflos und klein.

Nach ISOLDE HEYNE, *Yildiz heißt Stern*

Vocabulary

der Kerl *fellow, chap*
die Gelegenheit *opportunity*
zusammenschlagen *to beat up*
kahl *bald*
scheren (schor, geschoren) *to shave, cut*
die Scham *shame*

Beantworten Sie Frage 1 (a), (b), (c) und (d) auf Deutsch.

1. (a) Was ist passiert, als Yildiz nach Hause ging? Geben Sie vier Details an. (Zeile 1–12)

....

....

....

....

(b) Geben Sie vier Gründe an, warum Yildiz sich wie eine Deutsche fühlte. (Zeile 15–18, 30–33)

....

....

....

....

(c) Warum durfte ihre Familie von dem Steinewerfen nichts wissen? Geben Sie zwei Gründe an. (Zeile 34–42)

....

....

(d) Was wollten die Eltern von Yildiz später machen, wenn sie in die Türkei zurückkehrten? (Zeile 77–83)

....

....

Answer Questions 2, 3 and 4 in English.

2. (a) How did Yildiz plan to explain the wound on her neck and why was she confident she would get away with it? (lines 44–50)

....

....

(b) Describe four of the feelings Yildiz was experiencing and explain why she had these feelings. (lines 59–73)

....

....

....

....

3. (a) Show with two examples from the text how Yildiz tried to avoid talking about the incident with her mother. (lines 99–106)

....

....

(b) What had life been like for Fatma Toluk when she first came to Germany? Give **four** details. (**lines 107–114**)

....

....

....

....

4. Read through the text again. How would you describe the relationship Yildiz had with each member of her family? Give **two** details in **each** case.

....

....

....

....

TEXT I: ANGEWANDTE GRAMMATIK (25)

1. Sie sehen unten sechs Sätze, in denen **Verben** unterstrichen sind. Sehen Sie sich das Beispiel an. Geben Sie nun zu den **anderen fünf** Verben an:

- den Infinitiv des Verbs
- die Zeitform (Präsens, Perfekt etc.)
- ob Singular oder Plural

Beispiel

(1) Der erste Stein flog vorbei.
flog: fliegen, Imperfekt/Präteritum, Singular

(2) Der zweite Stein traf sie am Hals.

....

(3) Ulrike ist ihre beste Freundin.

....

(4) Die haben bestimmt nicht mich gemeint.

....

(5) Yildiz ging ins Wohnzimmer.

....

(6) Die Mutter war damals sehr jung gewesen.

....

2. Sie finden im Kasten unten **sechs Adjektive**. Setzen Sie diese Adjektive mit den **entsprechenden Endungen** in den Text ein! Die Sätze sollen den Inhalt des Textes widerspiegeln. Benutzen Sie jedes Adjektiv **nur einmal**!

~~türkisch~~	fremd	neu	deutsch	älter	schwer

Yildiz war ein (1) türkisches Mädchen. Sie hatte einen (2) .... Bruder, der Murat hieß. Sie ging auf eine (3) .... Schule. Ihre Mutter erzählte ihr von der Ankunft der Eltern in Deutschland. Sie hatten einen (4) .... Anfang. Es war gar nicht leicht, sich an das (5) .... Land zu gewöhnen. Sie wollten eines Tages ein (6) .... Haus in der Türkei bauen.

Sample question 3

(Solutions on pages 95–97)

TEXT I: LESEVERSTÄNDNIS (60)

Die Einbahnstraße

Der Juni dieses Jahres war ein besonders heißer Monat. Für Andy und mich in zweierlei Hinsicht: erstens das Wetter, zweitens die Furcht, die 5 neunte Klasse wiederholen zu müssen. Andy stand in Mathe und Chemie, ich in Englisch und Französisch auf Fünf. Nur Herbert – Notendurchschnitt 1,7! – hatte keine Sorgen. Sorgte er sich, 10 dann um Andy und mich. Er versuchte, uns mit durchzuziehen. Er lernte mit uns. Jeden Nachmittag.

Es war so heiß, dass Herbert, Andy und ich uns einen Platz suchten, wo 15 wenigstens ab und zu einmal ein Lüftchen wehte. Schließlich fanden wir auch einen: auf dem Dach des Hauses, in dem ich wohne. Wir breiteten Decken aus, um nicht auf 20 der heißen Dachpappe sitzen zu müssen, tranken eiskalte Cola, aßen Obst, rauchten, diskutierten und lernten.

Herbert ist schmal, kurzlockig und 25 blond. Seine Haut ist weiß. Nach dem ersten Tag auf dem Dach hatte er einen Sonnenbrand. Deshalb trug er ständig ein T-Shirt, auch wenn die Hitze noch so groß war.

30 Andy ist das Gegenteil von Herbert: schwarzhaarig, braun gebrannt, dunkle Augen. Er kommt an bei Mädchen, ist sehr sensibel, träumt viel.

Ich bin der Graue. Nicht blass, nicht 35 braun, nicht blond, nicht dunkel – unauffällig bis zum Nichtvorhandensein.

Die ganze Stadt litt unter der Hitze.

Die, die einen Garten besaßen, waren aufgerufen, die Rasenflächen nicht zu 40 sprengen. Sie machten es trotzdem. Nachts. Die Wiese im Park war gelb, die Rasenquadrate der Gärten waren grün. Von unserem Dach aus war das gut zu erkennen.

45 An jenem Tag, an dem mein Bericht beginnt, lag ich im Schatten der Brandmauer, drehte mir eine Zigarette und blickte auf unsere Straße hinab. Eine endlose Autoschlange hatte sich gebildet, 50 der Verkehr war ins Stocken geraten; ein Möbelwagen versperrte den nachfolgenden Wagen den Weg. Die Möbelträger öffneten die Tür zur Ladefläche und begannen, Stühle, Tische und Kisten abzuladen. 55 Einige PKW-Fahrer verloren die Geduld, sie stiegen aus ihren Autos und beschimpften die Möbelträger. Die arbeiteten weiter, als ginge sie der Ärger der Fahrer nichts an.

Ich wollte Andy und Herbert auf die
60 Szene aufmerksam machen, aber die
lagen bäuchlings auf der Decke und
blätterten in Andys Mathebuch.

Die Möbelfahrer luden ihr ganzes
Zeug aus. Geduldig ließen sie sich einen
65 Vogel nach dem anderen zeigen. Erst als
alles auf dem Bürgersteig stand, fuhr
der Möbelwagen weiter. Die PKW-
Fahrer stürzten zu ihren Autos zurück,
die Möbelträger lachten und begannen,
70 die Möbel ins Haus zu tragen.

Ich drückte meine Zigarette aus
und wollte mich abwenden. Da fiel
mein Blick auf ein blondes Mädchen,
das bei den Möbelträgern stand. Es
75 lehnte neben dem Hauseingang. Ich
behielt das Mädchen im Auge, bis es
im Haus verschwand. Dann suchte ich
die Fenster des gegenüberliegenden
Hauses ab. Irgendwo hingen sicher
80 keine Gardinen, eine Wohnung musste
leer stehen. Ich fand die Wohnung; sie
gehörte zu einem Balkon im dritten
Stock. Nicht lange, und das Mädchen
stand auf diesem Balkon.
85 Es war blass, fast bleich und
nicht besonders hübsch. Es trug ein
langärmeliges Sweatshirt – trotz der
Hitze. Das Mädchen sah mich, wandte
sich ab und begann, Blumenkästen in
90 die dafür vorgesehenen Halterungen
zu stellen. Dann nahm es einen Sack
mit Blumenerde und eine Schaufel und
verteilte die Erde in die Kästen. Dabei sah
es einmal kurz zu mir hoch. Ich grinste
95 und erwartete ein Lächeln. Das Lächeln
blieb aus.

Andy musste mitbekommen haben,
dass ich nicht ins Blaue hineinlächelte. Auf
einmal stand er neben mir. Das Mädchen
100 sah von mir weg und Andy an. Andy
lächelte, das Mädchen lächelte zurück.

Andy wandte keinen Blick von dem
Mädchen. Bis es den Balkon verließ.

Wir hatten bald Gelegenheit, die Neue
105 näher kennen zu lernen. Am Tag darauf
stand sie schon in unserer Klasse. Sie sah
immer noch so blass und müde aus. Ihr
108 Name war Inga Hoff.

KLAUS KORDON

Vocabulary

die Dachpappe *roofing felt*
unauffällig *inconspicuous*
das Nichtvorhandensein *absence*
die Brandmauer *firewall*
der Möbelwagen *removal van*
abladen/ausladen *to unload*
bäuchlings *on one's front, face down*

Beantworten Sie Frage 1(a), (b), (c) und (d) auf Deutsch.

1. (a) Warum hatten Andy und der Erzähler diesen Sommer Angst? (Zeile 1–7)

....

....

(b) Vergleichen Sie die Noten der drei Jungen und geben Sie drei Details dazu an. (Zeile 6–9)

....

....

....

(c) Warum lernte Herbert mit den zwei anderen Jungen? (Zeile 8–12)

....

....

(d) Was wollten die drei Jungen zusammen machen und warum haben sie dazu das Dach ausgesucht? (Zeile 11–23)

....

....

Answer Questions 2, 3, and 4 in English.

2. (a) From the rooftop the narrator looked down on the street. Why was there a traffic jam? Give details. (lines 48–54)

....

....

(b) How did some drivers show their impatience and what effect did it have? Give details. (lines 55–58, 63–70)

....

....

3. (a) What did the narrator observe about the girl on the balcony opposite? Give four details. (lines 85–93)

....

....

....

....

(b) How did the girl react to the two boys who sought her attention? (lines 93–101)

....

....

4. Read through the text again. That summer was very hot. Show, with four examples from the text, how the writer conveys the effect of the heat on the people and the neighbourhood. (Can be language use or content.)

....

....

....

....

TEXT I: ANGEWANDTE GRAMMATIK (25)

1. Sehen Sie sich die folgenden Sätze an. Geben Sie zu jedem unterstrichenen **Nomen** (**Substantiv**) das richtige **Pronomen** an.

   Beispiel
   Herbert war mit den zwei Jungen gut befreundet. Er lernte jeden Nachmittag mit **ihnen.**

   (1) Sie gingen auf das Dach des Hauses. .... schützte sie vor der Hitze.
   (2) Eine Autoschlange hatte sich gebildet. Der Junge beobachtete .... von oben.
   (3) Er sah einen Möbelwagen .... versperrte den Weg.
   (4) Der Erzähler lächelte das Mädchen an, aber sie ignorierte ....
   (5) Andy bemerkte, dass der Erzähler jemanden anlächelte. Auf einmal stand er neben ....

2. Schreiben Sie die folgenden Sätze wie im Beispiel in das **Präsens** um.

   Beispiel
   Andy **stand** in Mathe auf Fünf. Andy **steht** in Mathe auf Fünf.

   (1) Herbert trug ständig ein T-Shirt.
   ....
   (2) Die ganze Stadt litt unter der Hitze.
   ....
   (3) Die PKW-Fahrer verloren die Geduld.
   ....
   (4) Ich drückte meine Zigarette aus.
   ....
   (5) Das Mädchen war auf dem Balkon.
   ....

Text II: Journalistic comprehension

Exam question: Guided answers

The following guided answers are based on Text II from the **2017** exam paper. The marks awarded for each question are in brackets.

Note: As the layout of the following text is different from the actual exam, the line references have been changed accordingly.

TEXT II: LESEVERSTÄNDNIS (60)Bea

Straßenkinderprojekt KIDS in Hamburg: nach 23 Jahren jetzt obdachlos?

Deutschlandweit gibt es
schätzungsweise rund 29.000
obdachlose Kinder und Jugendliche
unter 18 Jahren. In Hamburg hatten
5 Straßenkinder seit vielen Jahren eine
feste Anlaufstelle*, beim Projekt *KIDS*
direkt am Hauptbahnhof. Aber jetzt ist
das Projekt selbst von Obdachlosigkeit
bedroht.

10 ***KIDS muss raus***
„Hallo, hat hier jemand ein Problem,
braucht jemand Hilfe?" Sozialarbeiter
Burkhard Czarnitzki sitzt auf einem
grünen Sofa mitten vor dem Hamburger
15 Hauptbahnhof und spaßt mit einer
Gruppe Jugendlicher. Eine bunte
Gruppe: punkig mit Dreadlocks,
Piercings oder gefärbten Haaren;
andere mit tief sitzender Hose und
20 Baseballmütze oder mit Hotpants und
Pferdeschwanz. Was sie verbindet: Sie
alle sind Straßenkinder. Zusammen mit
dem Leiter Czarnitzki haben sie ihre
Anlaufstelle* namens *KIDS* einfach auf
25 die Straße verlegt. Aus Protest.

„Wir haben die Sofas und Tische und
alles, was zum *KIDS* gehört, rausgebracht.
Jetzt sind wir hier und zeigen, wie es wäre,
wenn wir diese Räume nicht mehr hätten.
30 Wir würden dann mit unserem Projekt
genauso obdachlos wie die Leute, die
hierherkommen und denen wir helfen."

Sofas, Tische, Lautsprecherboxen stehen
normalerweise im Erdgeschoss eines über
35 einhundert Jahre alten Geschäftshauses
direkt am Hauptbahnhof. Dort gibt es
seit 23 Jahren eine Adresse für Kids, die
oftmals kein festes Zuhause haben. Aber
das Gebäude wurde verkauft und soll
40 modernisiert und umgebaut werden. Dach
ab, Fassade neu, zwei Jahre Großbaustelle.
Kein Platz mehr für *KIDS*.

Straßenkids brauchen Hilfe
Die 17-jährige Anna ist hier fast zwei Jahre
45 ein und aus gegangen. „Das *KIDS* hat eine
extrem wichtige Rolle für mich gespielt,
weil ich hier die lebensnotwendigen
Sachen gekriegt habe. Ich hab' hier Essen
bekommen, hab' hier duschen können.
50 Aber vor allem war es die emotionale
Hilfe. Ich konnte hier immer mit jemandem
sprechen, wenn ich mit meinen Problemen
nicht allein fertig wurde. Oft haben
die Berater mich dann am Ende davon
55 überzeugt, dass es vielleicht besser wäre,
mal wieder zum Jugendamt zu gehen."
Seit drei Monaten lebt Anna nicht mehr

auf der Straße, sie wohnt nun in einer Jugendwohnung.

60 Heute führt Anna uns durch die 160 Quadratmeter, die bisher für die Straßenkinder ein Ruheort waren. Küche, ein offener Wohnraum, Fernseher, drei Computer. Tag für Tag 65 kommen bis zu vierzig Minderjährige hierher zum Wäschewaschen, Essen, Ausruhen, Reden. Sie zeigt uns auch die Zimmer der Berater.

Am Anfang steht Vertrauen

70 Das *KIDS*-Team besteht aus zwölf engagierten Frauen und Männern, alle qualifizierte Sozialpädagogen. Gemeinsam mit einer Krankenschwester helfen sie den Jungen und Mädchen 75 auf ihren ersten Schritten weg von der Straße. Sie hören sich ihre Sorgen an und versuchen, Vertrauen aufzubauen. Oft misstrauen die jungen Leute Erwachsenen – zu negativ sind ihre 80 Erfahrungen.

Mit viel Geduld und Zeit hilft das *KIDS*-Team den Straßenkindern, wieder mit Erwachsenen ins Gespräch zu kommen. Ihre Erfahrung zeigt: Die Jugendlichen 85 brauchen eine Perspektive und sie helfen ihnen bei der Suche danach. Sie gehen mit ihnen zum Jugendamt, helfen, geeignete Therapie- und Schlafplätze zu finden, und beraten in 90 Konfliktsituationen. Sie wollen die Kids da abholen, wo sie sind: in ihrer Lebenswelt. „Straßenkinder in Hamburg findet man am Hauptbahnhof – und das seit 23 Jahren. Wir wollen hier vor Ort weiter aktiv sein", 95 sagt Burkhard Czarnitzki.

Nicht ideal, aber ...

Die Stadt Hamburg hat angeboten, einen Umzug und eine höhere Miete zu bezahlen. Nur: Es findet sich nichts. In der Nähe 100 des Hauptbahnhofs liegen Geschäfte, Restaurants, Theater – alle Gebäude gehören Privatinvestoren. Für *KIDS* will keiner Platz machen. 6000 Hamburger haben in einer Online-Petition den 105 Hamburger Bürgermeister Olaf Scholz und die Sozialsenatorin Melanie Leonard dazu aufgefordert*, das Bleiben des Projekts am Hauptbahnhof zu unterstützen.

Das Resultat: Das *KIDS* kann zunächst 110 am Hauptbahnhof bleiben – wenn auch nur provisorisch. Vier Container sollen auf einem Parkplatz direkt neben den Bahngleisen aufgestellt werden. Ideal ist das nicht, aber *KIDS* ist erst einmal gerettet.

Kontakt: *KIDS*
Anlaufstelle für Straßenkinder
kids@basisundwoge.de
* Anlaufstelle = *ionad buail isteach/drop-in centre*
* aufgefordert = *d'iarr/requested*
Quellen: *basisundwoge.de; Deutschlandfunk; Hamburger Abendblatt*

Deutsch. Bitte schreiben Sie nicht direkt vom Text ab, sondern formulieren Sie Ihre eigenen Sätze!

1. (a) Im Artikel findet man allgemeine Informationen über Straßenkinder in Deutschland und speziell in Hamburg. Nennen Sie Details. (Zeile 1–22)

....

....

....

....

(b) Mit welchem Problem sieht sich das Projekt *KIDS* konfrontiert? (Zeile 30–42)

....

....

....

....

(c) Beschreiben Sie den Protest der Straßenkinder und ihres Leiters. (Zeile 22–29)

....

....

....

Answer Question 2 and Question 3 in English.

2. (a) Describe the impact *KIDS* has had on Anna's life. Give details. (Lines 43–59)

....

....

....

....

(b) Give a detailed description of the team at *KIDS* **and** explain what they do to help the street children. (Lines 69–95)

Team: ....

....

What they do: ....

....

3. (a) (i) Why can *KIDS* **not** be relocated? Give details.

(ii) Who has supported *KIDS* **and** how? (Lines 96–108)

(i) ....

....

....

(ii) Who? ....

....

How? ....

....

(b) What provisional solution has been offered? Give details. (Lines 109–114)

....

....

....

....

....

Beantworten Sie Frage 4 auf Deutsch.

4. **Was passt zusammen?**

Unten sehen Sie zwei Reihen von Satzhälften, die zusammen Sätze bilden, die auf dem Inhalt von Text II basieren. Welche Satzhälften passen zusammen? Tragen

Sie die passenden Buchstaben zu den Zahlen im Kasten ganz unten ein. Jeder Buchstabe kann nur einmal verwendet werden!

1. **Der Name des Projekts *KIDS***	a. um das Projekt zu unterstützen.
2. Das Projekt betreut Jugendliche,	b. direkt am Hauptbahnhof eine Anlaufstelle finden.
3. Bisher konnten Straßenkinder	c. **steht für *K*inder *I*n *D*er *S*zene.**
4. Weil das Gebäude modernisiert wird,	d. selbst obdachlos zu werden.
5. Jetzt ist *KIDS* in Gefahr,	**e.** die kein festes Zuhause haben.
6. Viele Leute haben eine Petition unterschrieben,	f. muss das Drop-in-Zentrum ausziehen.

1	c	2		3		4		5		6	

Having read the questions, read through the whole text. Then start work on the questions. As you approach each question, pay close attention to the **line indications**. The questions in German test not only your comprehension, but also your ability to express the correct information in German. Long quotations with extraneous information will be penalised, even if the required information is within your answers.

Note: Stroke (/) indicates alternatives. Information within round brackets ( ) is correct but not essential for marks.

Remember the instruction: 'Bitte schreiben Sie **nicht** vom Text ab, sondern formulieren Sie Ihre eigenen Sätze!' Do not copy directly from the text. Write your own sentences.

TEXT II: Journalistic comprehension (2017)

1 (a) This first question requires you to give general information (*allgemeine Informationen*) about street children in Germany and more specifically in Hamburg. The opening paragraphs offer a general and vivid description of street children and finding details should not prove difficult. The information is mainly factual, starting with the estimated number of homeless children in Germany. Then the threatened closure of the drop-in centre in Hamburg is mentioned, followed by a description of some of the street children.

Answer: (Any four: 4 × 2 marks)

(1) Es gibt rund 29.000 Straßenkinder / obdachlose Kinder und Jugendliche / unter 18 Jahren.
(2) In Hamburg gibt es ein Zentrum / ein Projekt namens KIDS / eine Anlaufstelle für sie.
(3) Hamburger Straßenkinder sind eine bunte / punkige / gemischte Gruppe.
(4) Sie haben Dreadlocks / Piercings / gefärbte Haare. **(Any two: 1, 1)**
(5) Sie haben tief sitzende Hosen / Baseballmützen / Hotpants / Pferdeschwanz. **(Any two: 1, 1)**

(b) You are asked what problem faces the street children. We are told that the people who run the drop-in centre may themselves become homeless. (*Wir würden ... genauso obdachlos wie die Leute, die hierherkommen.*) Why? Read on and you will discover the reason: *Das Haus wurde verkauft und soll modernisiert und umgebaut werden.* Having this essential understanding will help you pick up other details that are relevant.

Answer: (4 marks: 2 × 2 marks)

(1) *KIDS* / die Anlaufstelle wird obdachlos. / *KIDS* muss aus dem Haus. / Die Anlaufstelle könnte schließen // kein Platz mehr für *KIDS*.
(2) Das Haus wurde verkauft.
(3) Das Haus / Gebäude / Dach / die Fassade soll modernisiert / umgebaut werden / wird modernisiert / umgebaut.
(4) Der Umbau dauert zwei Jahre. / Das Haus wird zwei Jahre lang geschlossen.

(c) You are asked to describe the protest of the street children and their leaders. The first clear reference to protest is in the following sentences: *Zusammen mit dem Leiter Czarnitzki haben sie ihre Anlaufstelle namens KIDS einfach auf die Straße verlegt. Aus Protest.* They brought their protest out on to the street and the next few lines explain how they did this.

Answer: (Any two: 2 × 2 marks)

(1) Sie protestieren zusammen.
(2) Sie protestieren auf der Straße.
(3) Sie haben Sofas / Tische / Möbel / die Einrichtung auf die Straße gebracht.
(4) Sie zeigen, wie es sein wird, wenn das Projekt obdachlos wird.

2 (a) Anna was homeless and one who benefited from the KIDS project. You are asked to describe the impact it had on her. The number of details is not specified but it would be wise to give as many as you can. While the vocabulary in this section is quite accessible, there may be phrases or words that are not familiar to you. Don't worry. Some words you might work out from the context or from individual parts of words. For example the phrase *lebensnotwendigen Sachen.* The word 'Leben' is life and the adjective 'notwendig' is necessary. Anna received the necessities of life with KIDS. The remaining details are clear.

Answer: (Any four: 4 × 2 marks)

(1) used it for almost two years
(2) very important role for her
(3) got all the essential things/necessities of life there
(4) got food
(5) could take a shower
(6) got emotional help/could always talk to someone
(7) staff convinced her/got her to go to youth (welfare) office
(8) got off the street/no longer homeless/got a place in an apartment (with other young people)

(b) You are required to give a **detailed** description of the team at KIDS **and** explain what they do to help the street children. Make sure you deal with both parts of this question. The answer to the first part of the question is short and has vocabulary well within your reach – 12 *Männer und Frauen, Krankenschwester, Sozialpädagogen*. There are more details pertaining to the second part of this question. Once again the vocabulary is within your range. Some other words might be guessed at from your understanding of the context. '*Sie hören sich ihre Sorgen an*' – they listen to their concerns/worries. Making sense of a sentence even if it contains unknown words is often easy, e.g. '*... helfen den Jungen und Mädchen ... weg von der Straße*'. Without having a full grasp of the whole sentence, these words are clear – they help the young people to get off the street. There are many examples of help within the lines.

Answer: (Any two: 2 × 2 marks)

Team:

(1) The team consists of 12 people/social workers.
(2) They are women and men.
(3) They are all qualified.
(4) There is a nurse.

(Any four: 4 × 2 marks)

What:

(1) (together) they help them get off the street
(2) listen to worries/problems
(3) (try to) build up trust

(4) show patience
(5) give their time
(6) help the street children to talk to adults again
(7) help them to get/gain a perspective/outlook on life again
(8) go with them to the youth (welfare) office
(9) help them get appropriate therapy
(10) help them get a place to sleep/accommodation
(11) give advice in conflict situations
(12) want to meet the street children where they live/in their world

3 (a) (i) You have to explain why KIDS cannot be relocated. There are no suitable places (*Es findet sich nichts*) to move to. The buildings near the station are owned by *Privatinvestoren.* The sentence *Für KIDS will keiner Platz machen* is also very clear.

Answer: (Any two: 2 × 2 marks)
(1) cannot find (suitable) premises
(2) shops, restaurants and theatres (any two)/all buildings near station/nearby belong to private investors
(3) nobody wants to make space for the (homeless) children/*KIDS*

(ii) You are asked **who** has supported KIDS and **how**. The answer to **who** is within a rather long sentence. But your answer will be short. '*6000 Hamburger haben in einer Online-Petition ... das Bleiben des Projekts am Hauptbahnhof zu unterstützen*'.
These words are sufficient to extract the information. However, knowing the word *unterstützen* (to support) would be helpful. Six thousand people from Hamburg wanted to support them. How did they support them? There are three pieces of information here. Try giving all three. If two are right, you may still gain full marks. Supporting the online petition should be easy. That's one. *Bürgermeister* is Lord Mayor, *aufgefordert* is explained and the rest is clear – *das Bleiben des Projekts am Hauptbahnhof.* They want the project to stay at the station.

Answer: (Any two: 2 × 2 marks)
Who: 6,000 people from Hamburg. (2 marks)
How:
(1) (signed/supported by means of) a petition online
(2) requesting/calling on the (Lord) Mayor (1) and a senator (1)
(3) to let KIDS/project stay at station

(b) You are asked what provisional solution has been offered. *Das Resultat:*

These words introduce the answer you need. KIDS will be able to stay at the station (*am Hauptbahnhof bleiben*) and the word *provisorisch* is clear. There are other details: *Vier Container sollen auf einem Parkplatz neben den Bahngleisen aufgestellt werden.*

Answer: (Any two: 2 × 2 marks)

(1) KIDS can stay at station
(2) four containers to be provided
(3) in a car park/near tracks/platforms

4 You must **match the sentence halves** given. Your understanding of the text and grammatical structures will help you here. You have read the text and answered the comprehension questions. The first one is done as an example. Now **make sense of the rest** by answering the following questions, which are based on your understanding of the text.
No. 2 What children does the project look after? (*betreut*) Children who have no home.
No. 3 Where have the children been up to now (*bisher*)? They have been able to find a drop-in centre at the station.
No. 4 What will happen as a result of the building being modernised? The drop-in centre will have to move.
No. 5 What risk (*Gefahr*) faces KIDS? They will themselves be homeless.
No. 6 Why have many people signed a petition? In order to support the project.

Answer: (10 marks: 5 × 2)

1	C	2	E	3	B	4	F	5	D	6	A

Now **test yourself** with further sample comprehension questions. Then check your answers. The pages with the solutions are clearly indicated. Vocabulary is given at the end of each passage to help you along the way.

Sample journalistic comprehension questions

This text is in the style of a newspaper or magazine article. Questions are asked in German and English and these are clearly indicated. Question 4 tests language awareness.

Sample question 1

(Solutions on pages 97–98)

TEXT II: LESEVERSTÄNDNIS (60)

BALU UND DU

Seit 2002 gibt es in Deutschland ein ausgezeichnetes Mentorenprogramm für Grundschulkinder, die den Weg ins Grundschulalter schwierig finden. Das Konzept hat seinen Ursprung im Buch *Das Dschungelbuch* von Rudyard Kipling. Der Film *Das Dschungelbuch* wurde von Kindern auf der ganzen Welt gesehen. Jeder kennt Balu, den liebevollen Bär, und seinen Freund Mogli. Balu trifft das Findelkind Mogli im Dschungel und beide werden schnell Freunde. Balu unterstützt Mogli und zeigt ihm, wie man mit Alltagsproblemen fertig wird. Er hat Zeit zum Zuhören und steht dem kleinen Mogli immer als Freund zur Seite.

Das Programm

Ein Jahr lang übernimmt ein Mentor die Patenschaft für ein Kind. Der Mentor ist Balu und das Kind ist Mogli. Genau wie die Figuren aus dem *Dschungelbuch* kommen sie aus unterschiedlichen Welten. Die Balus sind meistens Studenten oder junge Erwachsene zwischen achtzehn und dreißig Jahren. Sie übernehmen für ein Jahr die Patenschaft für ein Kind. Sie treffen sich einmal pro Woche. Die Kinder sind im Grundschulalter (zwischen sechs und zehn Jahren). Das Programm ist hauptsächlich für benachteiligte Kinder gedacht, für die das Leben manchmal ein Dschungel sein kann. Die Grundschullehrer spielen auch eine wichtige Rolle. Sie kennen ihre Schüler und können diejenigen, die besonders gefördert werden müssen, für das Programm empfehlen.

Das Projekt entstand 2002 an der Universität Osnabrück und zurzeit sind Balus in über 40 Städten bundesweit aktiv. Das Konzept ist einfach. Ein junger Mentor (Balu) betreut ein Grundschulkind (Mogli) ein Jahr lang wöchentlich nach der Schule. Er steht dem Kind zur Seite und hilft ihm, seine Freizeit zu gestalten und sich besser im Leben zurechtzufinden.

Spaß an gemeinsamen Aktivitäten

Beim wöchentlichen Treffen verbringen beide einige Stunden zusammen. Es gibt keinen Leistungsdruck. Hausaufgaben stehen nicht im Mittelpunkt. Die Moglis lernen, ihre Freizeit sinnvoll zu gestalten und Alltagsprobleme zu meistern. Die Aktivitäten sind vielfältig und die Kinder lernen neue Hobbys.

60 *Balu und Du* zeigt zum Beispiel, wie viel Spaß das Kochen Kindern macht. Die Kinder erfahren, wie einfach dies tatsächlich ist und auch wie lecker! Sie schneiden Gemüse, schälen Kartoffeln, 65 schlagen Eier, rühren in Töpfen und decken den Tisch. Immer weniger Familien essen heute zusammen am Tisch. Kinder essen oft vor dem Fernseher. Die Balus wollen den 70 Kindern zeigen, dass Kochen einfach ist und Spaß macht. Die Kinder lernen, gesund zu essen. Die Rezepte sind billig und richtig lecker. Die Kinder nehmen auch manchmal ihre Leckereien mit 75 nach Hause.

Zoobesuche sind ebenfalls populär und bieten eine schöne Abwechslung für Kinder. Zoos und Tierparks sind spannende und lehrreiche Orte, wo 80 man Tiere und die Natur beobachten kann. Die Kinder bekommen auch die Gelegenheit, die Bibliothek zu besuchen, ins Kino zu gehen, zu malen, zu schwimmen und zu basteln. Man 85 kann Tretboot fahren, Seifenblasen machen und Fußball spielen. Geocaching ist auch dabei. Das ist eine Art Schatzsuche mit einem GPS-Gerät, die Kindern viel Spaß macht. 90 Das Wichtigste an allen Aktivitäten ist aber, dass „Balu" und „Mogli" Vertrauen zueinander aufbauen und dass das Selbstwertgefühl der Moglis sich verbessert.

95 **Positive Wirkungen**

Viele Kinder stammen aus Familien, die auf Sozialhilfe angewiesen sind. Sie haben geringere Chancen im Leben als andere Kinder, deren Familien einen höheren 100 sozialökonomischen Status haben. *Balu und Du* bietet ihnen einen Weg aus dem Dschungel des Lebens. Sie lernen nicht nur, ihre Freizeit sinnvoll zu gestalten, sondern auch die Anforderungen des 105 heutigen Lebens zu meistern.

Eltern, Lehrer und Mentoren behaupten, der Erfolg dieses Projekts sei enorm, und verweisen auf mehrere positive Wirkungen:

110 – Durch das Mentoring haben Kinder mehr Selbstvertrauen.
– Sie konzentrieren sich besser im Unterricht.
– Die Schulleistungen verbessern sich.
115 – Sie fühlen sich glücklicher und integrierter in der Gesellschaft.
– Nach dem Programmende leben die Kinder gesünder und sind weniger gestresst.
120 – Die Wirkung auf Aggressionen ist auch bedeutend. Die Kinder erwerben soziale Kompetenzen, die der Neigung zur Aggression und Gewalttätigkeit vorbeugen sollen.

125 Auf Kinder, die an dem Programm teilnehmen, wirkt sich das Projekt ohne Zweifel sehr positiv aus. Die Zukunft von *Balu und Du* ist daher gesichert.

Vocabulary

Patenschaft *sponsorship*
Neigung *tendency*
Anforderung *challenge*
vorbeugen *to prevent*
fördern *to support/encourage*

Beantworten Sie Frage 1 (a), (b) und (c) auf Deutsch. Bitte schreiben Sie nicht direkt vom Text ab, sondern formulieren Sie Ihre eigenen Sätze!

1. (a) Woher stammt das Konzept für „Balu und Du"? Nennen Sie drei Details. (Zeile 1–18)

....

....

....

(b) Welche gemeinsamen Eigenschaften haben Balu aus dem *Dschungelbuch* und die Mentoren, die sich um die Kinder kümmern? Geben Sie zwei Beispiele an. (Zeile 11–29)

....

....

(c) Welche Kinder profitieren von dem Mentorenprojekt? Nennen Sie Details. (Zeile 1–40, 95–102)

....

....

....

Answer Questions 2 and 3 in English.

2. (a) Describe in detail how the mentoring program *Balu und Du* works. (lines 20–54)

....

....

....

....

....

....

....

(b) What are the specific aims of the mentoring process? (lines 55–59, 90–105)

....

....

....

....

....

....

....

3. (a) (i) One of the activities offered to children is cooking. List four of the benefits for children associated with this activity. (lines 60–75)

....

....

....

....

(ii) Apart from cooking, mention six other activities in which children take part. (lines 76–89)

....

....

....

(b) Outline in detail the positive effects that the work of *Balu und Du* has on the children who take part. (lines 110–124)

....

....

....

....

....

....

4. **Was passt zusammen?**

Unten sehen Sie zwei Reihen von Satzhälften, die zusammen Sätze bilden, die auf dem Inhalt von Text II basieren. Welche Satzhälften passen zusammen? Tragen Sie die passenden Buchstaben zu den Zahlen im Kasten ganz unten ein. Jeder Buchstabe kann nur einmal verwendet werden!

1. **Der Name *Balu und Du***	a. die besondere Probleme im Leben haben.
2. Die Mentoren betreuen Kinder,	b. um Kindern im Grundschulalter zu helfen.
3. Kinder können sich mit Balu und Mogli identifizieren,	c. einmal pro Woche außerhalb der Schulzeit.
4. Das Programm wurde im Jahre 2002 gestartet,	d. **bezieht sich auf die Figuren aus *dem Dschungelbuch*.**
5. Die Balus und Moglis treffen sich	e. dass die Kinder sich besser konzentrieren können.
6. Nach einem Jahr merkt man,	f. weil Das *Dschungelbuch* weltweit bekannt ist.

1	d	2		3		4		5		6	

TEXT II: ÄUSSERUNG ZUM THEMA (25) (Sample answers pages 130–131)

Bearbeiten Sie (a) oder (b).

(a) **Freizeitbeschäftigung für Kinder** *Sehen Sie sich das Foto rechts an.*

- Beschreiben Sie das Foto in **drei bis vier** Sätzen.
- Wie kann man Kindern nach der Schule helfen, ihre Freizeit zu gestalten? Geben Sie Beispiele an.
- Sollte es in Irland ein Programm wie *Balu und Du* geben? Begründen Sie Ihre Antwort mit **zwei** Argumenten.

(100 Wörter)

Oder:

(b) **Handysucht bei Kindern** *Sehen Sie sich das Foto rechts an.*

- Beschreiben Sie das Foto in **drei bis vier** Sätzen.
- Verbringen Kinder heute zu viel Zeit an ihren Handys? Geben Sie Ihre Meinung in **vier** Sätzen wieder.
- Wie kann man Kinder von ihren Handys ablenken? Geben Sie **drei** Beispiele an.

(100 Wörter)

Sample question 2

(Solutions on pages 99–100)

TEXT II: LESEVERSTÄNDNIS (60)

BEDROHTE SPRACHEN
Fast jede Woche eine Sprache weniger

Es gibt weltweit 5000 bis 6000 lebende Sprachen. Sprachwissenschaftler meinen, fast zwei Drittel könnten aussterben – fast jede Woche eine. Mit der Zeit verschwindet nicht nur die Sprache, sondern auch ein Teil der Kultur – Erzählungen, Lieder, Gedichte. Indianersprachen sind ein konkretes Beispiel dafür, wie mit der Sprache nicht nur Wörter verschwinden, sondern auch Wissen verloren geht. Der südamerikanische Regenwald und dessen Pflanzen sind ohne diese Sprachen nur schwer zu nutzen. Die Kenntnis um die Wirkung von Pflanzen und Früchten ist oft an die Sprache gebunden. Wenn eine Sprache ausstirbt, versteht der Mensch seine Umwelt und die Natur weniger. Ein anderes Beispiel für eine sterbende Sprache ist die Sprache der Tofa* in Sibirien. Nur die ältere Generation beherrscht die Sprache noch und es besteht daher die Gefahr, dass die Sprache für immer verschwinden wird. Viele Sprachen werden auch aussterben, weil sie nur gesprochen werden. Sie sind eigentlich keine Schriftsprachen und ihre Überlebenschancen sind gering.

Die Förderung aller europäischen Sprachen

Europa hat 250 einheimische Sprachen, doch die meisten sind nicht amtliche oder Minderheitensprachen. Dieser linguistische Schatz ist schwer zu beschützen in einer Zeit, die die große Verkehrssprache Englisch zu privilegieren scheint. Aber während das Englische als gemeinsame europäische Sprache an Boden gewinnt, versuchen die Minderheitensprachen ein Comeback. Im Jahr 1992 verabschiedete der Europarat die *Europäische Charta der Regional- oder Minderheitensprachen*, die den Staaten empfiehlt, das Recht aller europäischen Sprachen anzuerkennen, in allen Bereichen des täglichen Lebens präsent zu sein, und ihren Einsatz zu fördern.

Einige Sprachen leben richtig auf, zum Beispiel Katalanisch, das 10 Millionen Sprecher hat. Andere haben weniger Erfolg. In Frankreich zum Beispiel, wo es sieben Regionalsprachen gibt, gewinnt Französisch weiter an Boden und drängt die Minderheitensprachen immer weiter zurück. Von diesen ist der deutsche Dialekt, das Elsässische, mit ungefähr 900.000 Sprechern noch am lebendigsten.

Eine der Sprachen, die sich heutzutage am meisten bemüht, in Frankreich am Leben zu bleiben, ist Bretonisch. Diese Sprache wird von 300.000 Menschen gesprochen und obwohl die meisten von ihnen schon ziemlich alt sind, kann man

die Sprache wieder in der Schule lernen. Es gibt aber eine Zwischengeneration, die die Sprache nicht mehr spricht. Viele Eltern, die selbst kein Bretonisch
70 sprechen, freuen sich, wenn ihre Kinder es lernen.

Eine Sprache, die es nicht leicht haben wird, zu überleben, ist Baskisch. Das Sprachgebiet verteilt sich auf
75 Frankreich und Spanien. Baskisch ist gefährdet, weil es schwierig zu erlernen ist und sich von anderen Sprachen sehr unterscheidet.

Irisch – die bestbeschützte
80 Minderheitensprache Europas

Unter den Minderheitensprachen Westeuropas ist Irisch mit etwa 200.000 Sprechern die bestgeschützte Sprache. Sie ist in Irland Amtssprache
85 und von der EU als offizielle Sprache der Union anerkannt. Sie ist Pflichtfach in der Schule und es gibt einen irischen Fernsehsender. Einige Iren sind der Meinung, dass man lieber in andere
90 Dinge investieren sollte. Die meisten Iren scheinen aber mit der politischen Förderung zufrieden zu sein, und immer mehr irische Eltern wollen, dass ihre Kinder eine *Gaelscoil* (eine Schule, wo nur auf Irisch unterrichtet wird) besuchen. Sie sind nämlich stolz auf die Sprache ihrer
95 Vorfahren und wollen deren Sprache und Kultur bewahren.

Die Zukunft

Die Europäische Kommission hat 2003 einen Aktionsplan ausgearbeitet. Ein
100 Ziel dieses Plans ist, die Sprachen, die von Generation zu Generation weniger gesprochen werden, auf allen Bildungsebenen zu unterrichten. Doch die meisten werden nur in bestimmten
105 Situationen und nicht im Alltag oder in einem sinnvollen vielsprachigen Kontext benutzt. Manchmal zeigen auch Regierungen eine gewisse Feindschaft gegenüber Minderheitensprachen.
110 Natürlich hat man mit einer Sprache, die möglichst viele Menschen sprechen, auch bessere berufliche Möglichkeiten. Leider ist die Zukunft der Minderheitensprachen aber alles andere als gesichert.

* Tofa *a Siberian tribe*

Vocabulary

bedroht *threatened/endangered*
der Sprachwissenschaftler *linguist*
aussterben *to die out/become extinct*
gering *slight*
einheimisch *native*
die Minderheitensprache *minority language*
an Boden gewinnen *to gain ground*
anerkennen *to recognise*
der Einsatz *use*
sich bemühen *to try*
Vorfahren (*mpl.*) *ancestors*
Bildungsebenen (*fpl.*) *levels of education*
die Feindschaft *hostility*
Förderung *support/promotion*
bewahren *to protect/preserve*

Beantworten Sie Frage 1 (a) und (b) auf Deutsch.

1. (a) Wenn eine Sprache ausstirbt, verliert man auch einen Teil der Kultur. Geben Sie dafür zwei Beispiele an. (Zeile 1–19)

   ....

   ....

   (b) Nennen Sie drei Gründe, warum Minderheitensprachen aussterben können. (Zeile 19–41)

   ....

   ....

   ....

Answer Questions 2 and 3 in English.

2. (a) Explain how the European Council sought to protect minority languages. Give two details. (lines 41–48)

   ....

   ....

   (b) What is the current state of minority languages? Answer with regard to three of the following – Catalan, Breton, Alsatian and Basque. (lines 49–78)

   ....

   ....

   ....

3. (a) Give five details regarding the current state of the Irish language, as outlined in the passage. (lines 79–96)

   ....

   ....

   ....

   ....

   ....

   (b) The European Commission aims to incorporate minority languages into all areas of education. Outline three reasons why this might be difficult to achieve. (lines 98–112)

   ....

   ....

   ....

Beantworten Sie Frage 4 wie im Beispiel.

4. Im Text sind Wörter unterstrichen, die unten nummeriert sind. Finden Sie dazu aus der folgenden Liste im Kasten die passenden Synonyme und schreiben Sie sie jeweils daneben. Achtung, ein Wort passt nicht!

Beispiel
An Boden gewinnt (Zeile 40): vorwärts kommt

Mundart		~~vorwärts kommt~~	bedroht	macht
erhalten	etwa	versucht	Verwendung	einfach

(1) Einsatz (Zeile 48): . . . .
(2) Dialekt (Zeile 57): . . . .
(3) ungefähr (Zeile 58): . . . .
(4) sich bemüht (Zeile 60–61): . . . .
(5) leicht (Zeile 72): . . . .
(6) gefährdet (Zeile 76): . . . .
(7) bewahren (Zeile 96): . . . .

TEXT II: ÄUSSERUNG ZUM THEMA (25) (Sample answers on pages 132–133)

Bearbeiten Sie (a) oder (b).

(a) Minderheitensprachen

- Geben Sie **drei** Gründe an, warum man eine Minderheitensprache bewahren sollte.
- Viele Minderheitensprachen sterben aus. Meinen Sie, dass Irisch auch aussterben könnte? Wie können wir das verhindern? Machen Sie **zwei** Vorschläge.
- Sollte Irisch in der Schule Pflichtfach sein? Was meinen Sie? Begründen Sie Ihre Antwort mit **zwei** oder **drei** Argumenten.

(100 Wörter)

Oder:

(b) Fremdsprachen

- Nennen Sie **drei** Gründe, warum man heutzutage eine Fremdsprache lernen sollte.
- Wie kann man am besten eine Fremdsprache lernen? Machen Sie **zwei** Vorschläge.
- „Englisch ist ein Muss, Deutsch ist ein Plus." Was meinen Sie dazu? Begründen Sie Ihre Antwort mit **zwei** Argumenten.

(100 Wörter)

Sample question 3

(Solutions on page 100–101)

TEXT II: LESEVERSTÄNDNIS (60)

JUNGE UMWELTSCHÜTZER: WIR TUN, WAS WIR KÖNNEN

Sie befreien keine Wale und retten nicht gleich die ganze Welt. Die Schüler Lea und Leander versuchen im Kleinen, die Umwelt zu schützen. Dem Jugendmagazin „Yaez" erzählen sie, warum sie sich engagieren und wie dieser Einsatz sie verändert.

Lea, 18, geht in die 12. Klasse und engagiert sich bei Greenpeace.

„Ich finde es extrem wichtig, dass sich junge Leute für Politik und das Treiben der Welt interessieren. Wie soll man sich sonst seine eigene Meinung bilden, wenn man gar nicht Bescheid weiß? Schließlich sind wir die Generation, die schon bald die wichtigen Entscheidungen treffen wird.

Bei Greenpeace mache ich seit etwa drei Jahren mit. Meine Mutter ist Biologin, sie hat mit meinen vier Geschwistern und mir immer viel über Nachhaltigkeit* gesprochen. Sie fand es natürlich toll, dass ich zu Greenpeace gegangen bin, und freut sich, wenn ich tolle Aktionen auf die Beine stelle.

Einmal die Woche treffen wir uns im Greenpeace-Büro und reden über aktuelle Themen und Aktionen. Wir sind circa 25 aktive Jugendliche. Danach kochen wir oft zusammen oder gehen etwas essen. Wir organisieren uns selbst, werden nicht von Erwachsenen geleitet. Wenn wir zum Beispiel eine Aktion gegen Kohlekraft machen wollen, planen wir alle Schritte – ohne dass sich jemand einmischt. Wie sollen die Flyer aussehen? Wie können wir am meisten bewirken?

Ich bin durch mein Engagement bei der Greenpeace-Jugend in meinem Auftreten selbstsicherer geworden, weil ich mir inzwischen mehr zutraue. Am Anfang war ich in der Gruppe relativ schüchtern – mittlerweile tut es mir gut, Verantwortung zu übernehmen. Ich habe auch gelernt, für meine Meinung einzustehen. Dieses Jahr war ich sogar beim Greenpeace-Jugend-Jahrestreffen in Hamburg. Dafür habe ich schulfrei bekommen.

Wir sind in meiner Schule tausend Schüler – aber ich bin die Einzige, die sich bei Greenpeace engagiert. Klar ist es schön, auch Sport zu machen und ein Instrument zu spielen. Aber dass sich Jugendliche so wenig engagieren, finde ich echt schade. Ich bekomme manchmal sogar Sprüche gedrückt von wegen: ‚Na, hast du am Wochenende mal wieder die Wale gerettet oder einen Baum umarmt?' Das nehme ich natürlich nicht ernst.

Vielleicht denken manche, wir seien verbissen und redeten nur darüber, wie wir die Welt verbessern können – aber so läuft das nicht bei uns. Wir haben zusammen immer viel Spaß und unternehmen auch als Freunde etwas gemeinsam. Bei unseren Aktivitäten vernetzen wir uns deutschlandweit auch mit anderen Greenpeace-Gruppen, und es ist schön zu wissen, dass diese Zusammenarbeit problemlos klappt, Spaß macht und sich vielleicht sogar neue Freundschaften ergeben."

Leander, 18, macht gerade sein Freiwilliges Ökologisches Jahr (FÖJ) beim Umweltinstitut München.

„Wegschauen und die Probleme unserer Erde ausblenden – darin sind die meisten Leute in meinem Alter ziemlich gut. So leicht darf man es sich aber nicht machen, finde ich. Ich will hinschauen und mich konfrontieren.

Seit drei Monaten mache ich mein Freiwilliges Ökologisches Jahr beim Umweltinstitut München. Seit dem Sommer habe ich mein Abi in der Tasche. Ich wollte einfach noch etwas Praktisches machen, bevor ich im Studium wieder in die Theorie abdrifte. Vor etwa eineinhalb Jahren hat mich das Thema Umwelt gepackt. Ein Freund brachte mich auf die Idee, zu Greenpeace zu gehen. Ich spürte sofort, dass die Aktionen Sinn machen, und wollte in der Gruppe mit anderen Teenagern Veränderungen anstoßen.

Je tiefer man in das Thema Umweltschutz einsteigt und je mehr man dadurch über die Erde und unseren Umgang mit ihr lernt, desto schwieriger wird es, nichts zu tun und sich einfach wieder vor den Fernseher zu setzen. Ich habe gelernt, dass unsere täglichen Entscheidungen den Unterschied machen. Brauche ich diese Plastiktüte? Muss ich wirklich das Auto nehmen? Würde mir nicht auch ein vegetarisches Gericht schmecken? Wer sich diese Fragen stellt, ist aus meiner Sicht schon auf dem richtigen Weg.

In meinem FÖJ habe ich viele verschiedene Aufgaben. Ich bin zum Beispiel für die Messung und Auswertung von Radioaktivität zuständig. Das Umweltinstitut wurde nach Tschernobyl zur unabhängigen Strahlenmessung gegründet – das Thema ist aber noch heute wichtig. Ich gehe mit Schulklassen auch auf Bauernhöfe und erkläre den Kindern, was ‚Bio' ist. Bei Veranstaltungen stehe ich an unserem Infostand, verteile Flyer und beantworte Fragen. Das macht mir großen Spaß. Ich spüre, dass ich etwas bewege.

Für mich ist Umweltschutz so wichtig geworden, dass es mir nicht egal ist, mit wem ich befreundet bin. Wenn ich eine Freundin hätte, die sich gar nicht für das Thema begeistern könnte oder sogar die gegenteilige Meinung vertreten würde, wäre das bestimmt nicht ganz leicht für mich. Aber unmöglich wäre es wahrscheinlich auch nicht."

* Nachhaltigkeit *sustainability*

Beantworten Sie Frage 1 (a), (b) und (c) auf Deutsch.

1. (a) Warum engagieren sich Lea und Leander für den Umweltschutz? Nennen Sie jeweils zwei Gründe.(Zeile 10–21, 74–92)

Lea: ....

....

....

....

Leander: ....

....

....

....

(b) Welche Aktivitäten unternehmen Lea und die anderen Jugendlichen bei Greenpeace? Geben Sie **drei** Beispiele an. (Zeile 25–36)

....

....

....

(c) Was macht Leander seit dem Abitur und warum?(Zeile 71–86)

Was? ....

....

Warum? ....

....

Answer Questions 2 and 3 in English.

2\. (a) Outline in detail the benefits that Lea has derived from her work with Greenpeace. (lines 37–47, 62–70)

....

....

....

....

....

....

(b) (i) What do some of Lea's fellow pupils think of her involvement in Greenpeace?

....

....

(ii) How does Lea react to their comments/questions? (lines 48–58)

....

....

....

3\. (a) What has Leander learnt from his awareness of and involvement in the area of environmental protection? Give details. (lines 93–105, 119–125)

....

....

....

....

....

(b) List **three** tasks undertaken by Leander in the Environment Institute in Munich. (lines 106–117)

....

....

....

4. **Was passt zusammen?**
Unten sehen Sie zwei Reihen von Satzhälften, die zusammen Sätze bilden, die auf dem Inhalt von Text II basieren. Welche Satzhälften passen zusammen? Tragen Sie die passenden Buchstaben zu den Zahlen im Kasten ganz unten ein. Jeder Buchstabe kann nur einmal verwendet werden!

1. **Junge Leute sollten sich für die Umwelt interessieren,**	a. sondern etwas für die Umwelt tun.
2. Leander will nicht wegschauen,	b. dass einige Mitschüler sie gern hänseln.
3. Einmal pro Woche	c. will er nicht gleich studieren.
4. Es macht Lea nichts aus,	d. **weil es schließlich um ihre Zukunft geht.**
5. Obwohl Leander das Abitur schon gemacht hat,	e. aber sie hat auch Spaß dabei.
6. Lea arbeitet fleißig bei Greenpeace,	f. treffen sich die Mitarbeiter im Greenpeace-Büro.

1	d	2		3		4		5		6	

TEXT II: ÄUSSERUNG ZUM THEMA (25) (Sample answers pages 134–35)

(a) Umweltbewusste Menschen

Sehen Sie sich das Foto rechts an.

- Beschreiben Sie das Foto rechts in **vier** Sätzen.
- Warum werfen Leute manchmal Müll auf die Straße? Nennen Sie **zwei** Gründe. Wie kann man das verhindern? Machen Sie **zwei** Vorschläge.
- Wie umweltbewusst sind junge Iren Ihrer Meinung nach? Begründen Sie Ihre Meinung.

(100 Wörter)

Oder:

(b) Elektroautos *Sie sich das Foto rechts an.*

- Beschreiben Sie das Foto in **drei** Sätzen.
- Elektroautos werden immer beliebter. Warum? Nennen Sie **drei** Vorteile.
- Die Zukunft gehört dem Elektroauto. Stimmt das? Begründen Sie Ihre Meinung mit **drei** Argumenten.

(100 Wörter)

Solutions to sample questions

Note: Stroke (/) indicates alternatives. Information contained within round brackets ( ) is correct but not essential.

Text I: Literary comprehension

Sample question 1: Leseverständnis

Die Entdeckung der Currywurst (pages 57–61)

1 (a) Any three of:

Hier wohnen keine Hafen- und Werftarbeiter mehr.
Die Häuser sind renoviert worden.
Die Wohnungen sind luxuriös ausgestattet worden./Es gibt hier jetzt luxuriöse Wohnungen.
In den früheren Milch-, Kurzwaren- und Kolonialwarenläden sind jetzt Coiffeurs, Boutiquen und Kunstgalerien.

(b) Er hat das Papierwarengeschäft von Herrn Zwerg und Herrn Zwerg selbst erkannt.

(c) Es gab nach dem Krieg nur einen einzigen Baum in der Gegend, weil die anderen Bäume in den Bombennächten abgebrannt oder später zu Brennholz zersägt worden waren./Alle anderen Bäume wurden während des Krieges zerstört oder später als Brennholz benutzt./Dieser Baum war der einzige Baum, der nicht in den Bombennächten abgebrannt oder später zu Brennholz zersägt worden war.

(d) Eine Katze war (vor einem Hund) auf einen Baum geflohen und konnte nicht mehr heruntersteigen. Herr Zwerg war auf den Baum gestiegen, um die Katze zu retten./Eine Katze war auf einem Baum und konnte nicht mehr zurückklettern. Herr Zwerg war der Katze nachgestiegen.

2 (a) Any two of:

The narration made him listen quietly and attentively.
He was deeply moved by the story. He turned around after it was told, removed and wiped his left (glass) eye with a handkerchief and wiped his nose.
The story had made him cry/weep.
He said, 'Das waren Zeiten.' He meant those were the days or they were good times. He was looking back sadly on times past.

The narration evoked a vivid memory of the incident. He remembered being high up on the tree and not being able to estimate the distance down.

(b) **Two** details that show Herr Zwerg's financial hardship are:
The new landlord/house owner had announced an increase in rent two months ago and it was no longer payable/affordable./The new landlord had put up the rent two months ago and he couldn't afford to pay it.
The pension was not much. He wouldn't starve on it but he couldn't afford to live on it either.

3 (a) Any **four** of the following details would be accepted:
He observed Frau Brücker knitting by the window.
He noticed how the sunshine was lessened/softened by the net curtains.
It smelled of oil, floor polish and old age.
There were many old women and a few old men (sitting along the corridor/in the reception area).
The old people were wearing felt slippers.
The old people were wearing orthopaedic cuffs on their hands.
He had the impression from the way the old people stared at him that they had been waiting for him for days.

(b) Any **four** of the following details would be correct:
Her hair had become thin.
Her nose appeared to have grown.
Her chin appeared to have grown.
The former (bright/radiant) blue colour of her eyes was now milky.
Her finger joints were no longer swollen.

4 Any **four** of:
Sadness – the reference to the bombing during war time and the resulting loss of trees; there is sadness when Herr Zwerg refers to his current existence, his age (eighty next year), his meagre pension, and the fact that he is the last of the old residents in the house; the visit to the old people's home, the narrator's comment 'Es roch nach ... Alter' and his observation of the old people who seemed to just sit around and who stared at him as he entered; Frau Brücker's changed appearance is sad, especially the lost radiance in her eyes; the final words – the reader now knows the reason for the lack of radiance in Frau Brücker's eyes. 'Und dann bat sie mich, mein Gesicht anfassen zu dürfen' – she asked the narrator if she could touch his face. 'Die Gicht ist weg, dafür kann ich nix mehr sehen.' The gout has gone but Frau Brücker can no longer see.

Nostalgia – in the final paragraph there is nostalgia in Frau Brücker's clear memory of the narrator as a boy and how he used to sit with Hilde in the kitchen.

Nostalgia and sadness – Herr Zwerg's reaction to the narration of the tree-climbing incident – he is nostalgic when he speaks the words *'Das waren Zeiten'* (Those were the days) and he is sad at the passing of time.

Sample question 1: Angewandte Grammatik

1 (a) Der Erzähler ging durch die Straßen, (1) **die** er von früher kannte. Die Läden, in (2) **denen** früher Kurzwaren und Kolonialwaren verkauft wurden, waren jetzt Boutiquen und Kunstgalerien. Der Erzähler erkannte den Mann, (3) **der** das Papierwarengeschäft besaß. Die Geschichte, (4) **die** er erzählte, machte Herrn Zwerg traurig. Herr Zwerg erinnerte sich an den Baum, auf (5) **den** er einmal gestiegen war. Die Frau, nach (6) **der** der Erzähler fragte, wohnte nicht mehr im Haus.

(b) (1) die: Akkusativ, Plural
(2) denen: Dativ, Plural
(3) der: Nominativ, Singular, Maskulinum
(4) die: Akkusativ, Singular, Femininum
(5) den: Akkusativ, Singular, Maskulinum
(6) der: Dativ, Singular, Femininum

2 (a) (1) Herr Zwerg klagte über die Mieterhöhung, *die er nicht bezahlbar fand/die er nicht bezahlen konnte/die der neue Hausbesitzer angekündigt hatte.*
(2) Der Erzähler ging zum Altersheim, *um Frau Brücker zu besuchen.*
(3) Der Erzähler sah Frau Brücker und merkte, *dass ihr Haar dünn war/dass ihr Haar dünn geworden war und dass das leuchtende Blau ihrer Augen jetzt milchig war/dass ihre Fingergelenke nicht mehr geschwollen waren.*
(4) Frau Brücker erinnerte sich an den Erzähler, *der als Junge auf Besuch gekommen war/der sie als Junge besucht und bei Hilde in der Küche gesessen hatte.*
(5) Frau Brücker wollte das Gesicht des Erzählers anfassen, *weil sie ihn nicht (mehr) sehen konnte.*

(b) „**Lebt** Frau Brücker noch?“

Sample question 2: Leseverständnis

Drei junge Männer werfen mit Steinen ... (pages 61–65)

1

(a) Yildiz wurde mit Steinen beworfen./Einige Männer haben Steine auf Yildiz geworfen. Sie blutete am Hals./Ihr Hals blutete. Ein Stein schlug eine Fensterscheibe kaputt. Yildiz rannte/lief schnell weg.

(b) Sie hatte dunkelbraunes, langes Haar und trug Jeans und Turnschuhe/normale Klamotten wie andere Mädchen. Sie sprach so gut Deutsch wie andere Deutsche. Sie war in Deutschland geboren. Sie ging aufs Gymnasium.

(c) Ihre Eltern würden sie nie mehr allein aus dem Haus lassen. Murat/Ihr Bruder würde mit seinen Freunden alle Glatzköpfe zusammenschlagen/würde sich mit jemandem schlagen/würde zurückschlagen/würde Yildiz beschützen wollen.

(d) Sie wollten ein Haus bauen.

2

(a) She would say that she had bumped into Ulrike when they were playing volleyball and that Ulrike had scratched her with her long fingernails. She was confident she would get away with it because Ulrike was her best friend and she could rely on her if anyone asked.

(b) Any **four** of:
She was confused/bewildered. She thought the men couldn't have meant to hit her personally as she did not know them. She didn't want to talk to anyone about the incident, even her boyfriend Markus, as she feared his reaction. She felt there was no point in talking to her friend Ulrike because she would just tell her not to worry about it. She felt fear. She felt shame. She felt helplessness.

3

(a) She turned off the light. She didn't move when her mother came into the room.

(b) Life was hard. Fatma was very young and didn't understand a word of German. She was often afraid of the strange/foreign country. She was very homesick.

4

Any **two** of:
She had a good relationship with her **mother**; she loved her a lot. She understood how hard life had been for her when she had first arrived in Germany. She could not tell her, however, about the attack because she feared her reaction. Her mother showed concern for her daughter. She sensed that something was wrong and wanted to talk to her about it.

Any **two** of:
She had a loving relationship with her **father** but she could not tell him the truth about the stone-throwing incident/she lied to him. He showed great tenderness towards his daughter when she came home, asked her if she would eat something and expressed concern about the wound on her neck. He was proud of his daughter.

Any **two** of:
She could not tell her **brother** about the attack because she feared his reaction/she knew he would want to fight back. He regarded himself as her protector because he was her big brother (although he was only two years older than her)./He wanted to protect her. He wanted her to stay with their own people/with the Turkish community.

Sample question 2: Angewandte Grammatik

1

(2) traf: treffen, Imperfekt/Präteritum, Singular
(3) ist: sein, Präsens, Singular
(4) haben ... gemeint: meinen, Perfekt, Plural
(5) ging: gehen, Imperfekt/Präteritum, Singular
(6) war ... gewesen: sein, Plusquamperfekt, Singular

2

Yildiz war ein (1) **türkisches** Mädchen. Sie hatte einen (2) **älteren** Bruder, der Murat hieß. Sie ging auf eine (3) **deutsche** Schule. Ihre Mutter erzählte ihr von der Ankunft der Eltern in Deutschland. Sie hatten einen (4) **schweren** Anfang. Es war gar nicht leicht, sich an das (5) **fremde** Land zu gewöhnen. Sie wollten eines Tages ein (6) **neues** Haus in der Türkei bauen.

Sample question 3: Leseverständnis

Die Einbahnstraße (pages 65–68)

1

(a) Sie hatten Angst, weil sie schlechte Noten hatten und sie vielleicht die Klasse würden wiederholen mussten./Sie hatten Angst, wegen ihrer schlechten Noten die Klasse wiederholen/sitzen bleiben zu müssen.
(b) Andy stand in Mathe und Chemie auf Fünf, der Erzähler stand in Englisch und Französisch auf Fünf, Herbert hatte einen Notendurchschnitt von 1,7/hatte sehr gute Noten.

(c) Herbert hatte in der Schule gute Noten und wollte den anderen Jungen (beim Lernen) helfen./Herbert hatte keine Probleme in der Schule und hat den anderen Jungen geholfen.

(d) Sie wollten zusammen lernen. Sie haben das Dach ausgesucht, weil es dort ein bisschen kühler war/weil es sehr heiß war und das Dach ein bisschen kühler war.

2

(a) A furniture removal van had blocked the path of the traffic behind it. The furniture removal men opened the door of the van and began to unload chairs, tables and boxes.

(b) They got out of their cars and swore at the furniture removal men. It had no effect. The furniture removal men continued to work. They patiently ignored the abuse and unloaded everything onto the pavement. Only then did the van move on. They laughed and began to carry the furniture into the house.

3

(a) Any **four** of:
She was very pale. She was not particularly pretty. She was wearing a long-sleeved sweatshirt (despite the heat). She began to put the window boxes/flower boxes in the mountings/holders provided./She began to arrange the window boxes/flower boxes on the balcony. She took a sack with potting compost and a shovel and divided/put the compost into the flower boxes.

(b) She ignored the narrator/did not return his smile. She looked away from him and looked at Andy. Andy smiled and she smiled back.

4

Any **four** of:
It was so hot that the boys sought a place where it might be cooler/where there was at least a breeze blowing. On the roof they spread out covers/blankets so as not to have to sit on the hot roofing felt. They drank ice-cold coke. Herbert had sunburn after the first day on the roof and he constantly wore a T-shirt despite the heat. There had been an appeal to those who owned gardens not to spray their lawns. The grass in the park was yellow. The narrator was lying in the shade. The writer states that the whole town was suffering from the heat (*Die ganze Stadt litt unter der Hitze*).

Sample question 3: Angewandte Grammatik

1

(1) Sie gingen auf das Dach des Hauses. **Es** schützte sie vor der Hitze.
(2) Eine Autoschlange hatte sich gebildet. Der Junge beobachtete **sie** von oben.
(3) Er sah einen Möbelwagen. **Er** versperrte den Weg.
(4) Der Erzähler lächelte das Mädchen an, aber sie ignorierte **ihn**.
(5) Andy bemerkte, dass der Erzähler jemanden anlächelte. Auf einmal stand er neben **ihm**.

4

(1) Herbert **trägt** ständig ein T-Shirt.
(2) Die ganze Stadt **leidet** unter der Hitze.
(3) Die PKW-Fahrer **verlieren** die Geduld.
(4) Ich **drücke** meine Zigarette aus.
(5) Das Mädchen **ist** auf dem Balkon.

Text II: Journalistic comprehension

Sample question 1: Leseverständnis

Balu and Du (pages 77–80)

1

(a) Es stammt aus dem Buch *Das Dschungelbuch*.
Es gab auch einen Film *Das Dschungelbuch*.
Balu und Mogli sind Figuren aus dem Buch *Das Dschungelbuch*.
Balu freundet sich mit dem Findelkind Mogli an und kümmert sich um ihn. In *Balu und Du* freunden sich die Mentoren mit den Kindern an und kümmern sich um sie.

(b) Any **two** of:
Beide sind freundlich.
Beide sind hilfsbereit.
Balu kümmert sich um Mogli. Die Mentoren kümmern sich um die Kinder.
Balu hilft Mogli, der ein Findelkind ist. Die Mentoren helfen den Kindern, die Probleme im Leben haben.
Beide sind liebevoll. Balu steht Mogli zur Seite. Die Mentoren stehen den Kindern zur Seite.

(c) Grundschulkinder
Kinder zwischen sechs und zehn Jahren
Benachteiligte Kinder
Kinder, die besonders gefördert werden müssen
Kinder aus armen Familien/aus Familien, die von Sozialhilfe abhängig sind
Kinder, die kaum Chancen im Leben haben

2

(a) A mentor sponsors a child of primary school age for one year. The mentors (students and young adults) meet with the child once a week after school and spend some hours together. They help the children to organise/structure their free time and to cope with everyday problems. They help disadvantaged children or children who need particular support.

(b) To help the children to structure their free time
To help children to cope with/deal with everyday problems
To teach the children new hobbies
To improve the children's feeling of self-worth/confidence.
To give children from poor economic backgrounds a better chance in life
To teach the children how to overcome the challenges of life today

3

(a) (i) Any four of:
It's fun.
It's simple.
They make delicious/tasty food.
They learn practical cooking skills (e.g. chopping vegetables, peeling potatoes, beating eggs, stirring pots, setting the table).
They learn to eat healthily.
They learn how to cook cheaply.
They can bring their cooked food home.

(ii) Any six of:
Visits to the zoo, visits to the library, visits to the cinema, painting, swimming, handcrafts, pedal boating, making their own bubbles, football, geocaching.

(b) The children have more self-confidence.
They concentrate better in class.
Their school achievements/results improve.
They feel happier.
They are better integrated in society.
They live more healthily.
They are less stressed.
They learn social skills that help them to refrain from aggression and violent behaviour.

4

1	d	2	a	3	f	4	b	5	c	6	e

Sample question 2: Leseverständnis

Bedrohte Sprachen (pages 82–85)

1 (a) Any two of:
Man verliert Erzählungen, Lieder, Gedichte, Wörter, Wissen/
die Kenntnis um die Wirkung der Pflanzen und Früchte im
südamerikanischen Regenwald.
(b) Weil manchmal nur die ältere Generation die Sprache spricht.
Weil die Sprache oft nur gesprochen wird/keine Schriftsprache ist.
Weil Englisch eine große Verkehrssprache/die meistgesprochene
Sprache ist.

2 (a) Any two of:
In 1922, the European Council passed the European Charter of regional
or minority languages.
It recommended that states should recognise the right of all European
languages to be present in everyday life.
It recommended the promotion of the use of all European languages.
(b) Any three of:
Catalan: It has 10 million speakers.
Breton: It is spoken by 300,000 people – mostly older people. It can be
learnt in school. Many parents who have lost the language are happy
that their children learn it.
Alsatian: It is a German dialect. It is one of the most vibrant – it has
900,000 speakers.
Basque: It is spoken in the Basque region between France and Spain. It
is in danger because it is difficult to learn and it is very different from
other languages.

3 (a) Any five of:
It is the best protected of the minority languages of Western Europe.
It has 200,000 speakers.
It is an official language in Ireland.
It is recognised as an official language of the EU.
It is a compulsory language in school.
There is an Irish channel.
Many Irish think that it would be better to invest money in other things.
More and more Irish parents want their children to attend a Gaelscoil.
Many parents are proud of the language of their ancestors and want to
preserve it and its culture.

(b) Most of the languages are only used in specific situations and not in everyday life.
Sometimes governments show a certain hostility towards minority languages.
There are better career opportunities with a language that is spoken by as many people as possible.

4 (1) Einsatz (Zeile 48): Verwendung
(2) Dialekt (Zeile 57): Mundart
(3) ungefähr (Zeile 58): etwa
(4) sich bemüht (Zeile 60–61): versucht
(5) leicht (Zeile 72): einfach
(6) gefährdet (Zeile 76): bedroht
(7) bewahren (Zeile 96): erhalten

Sample question 3: Leseverständnis

Junge Umweltschützer (pages 86–89)

1 (a) Lea: (Any two)
Sie findet es wichtig, dass junge Leute sich für die Umwelt/Zukunft der Erde interessieren.
Junge Leute müssen in Zukunft wichtige Entscheidungen treffen.
Ihre Mutter ist Biologin und hat mit ihr und ihren Geschwistern viel über Nachhaltigkeit gesprochen.
Leander: (Any two)
Er will nicht von den Problemen der Erde wegschauen. Er will hinschauen.
Er interessiert sich für das Thema Umwelt seit etwa eineinhalb Jahren.
Er denkt, dass die Aktionen für die Umwelt Sinn machen/sinnvoll sind.
Er will Veränderungen bewirken/anstoßen.

(b) Sie treffen sich im Greenpeace-Büro und sprechen über aktuelle Themen und Aktionen.
Sie organisieren die Aktionen.
Sie planen alle Schritte der Aktionen.
Sie entscheiden, wie die Flyer aussehen sollen.
Sie überlegen, wie sie am meisten bewirken können.

(c) *Was:* Er macht ein Freiwilliges Ökologisches Jahr beim Umweltinstitut München.
Warum: Er will sich für die Umwelt engagieren und vor dem Studium etwas Praktisches machen.

2 (a) She has become more self-assured/self-confident. She is no longer shy.
She has learnt to take responsibility.
She has learnt how to stand by her opinion.
This year she attended the annual Greenpeace Youth meeting in Hamburg.
She enjoys/has fun with her friends/colleagues in Greenpeace.
She does things together with friends.
She has made contact with Greenpeace groups from all over Germany.
The co-operation with other Greenpeace groups works very smoothly/there are no problems.
The co-operation with other Greenpeace groups may even lead to new friendships.

(b) (i) They tease her/make fun of her. They ask her questions like 'Have you saved the whales again over the weekend, or hugged a tree?'
(ii) She does not take them seriously.

3 (a) He has learnt that the more one delves into the theme of environmental protection, the more one learns how much harder it is to do nothing and to just sit in front of the television.
He has learnt that our daily decisions make a difference.
He considers questions such as: Do I need this plastic bag? Do I really have to take the car? Wouldn't I also like a vegetarian dish?
He believes that whoever asks such questions about the environment is already on the right path.
He has learnt how important it is that his friends share his opinions on the environment. If he had a girlfriend who didn't share his opinions, it might not be easy for him.
(b) He is responsible for the measurement and evaluation of radioactivity.
He goes to farms with school classes and explains to them what 'Bio' is.
At the information stands at events, he distributes flyers and answers questions.

4

1	d	2	a	3	f	4	b	5	c	6	e

3 Grammar (*Angewandte Grammatik*)

- To teach a wide range of grammar points frequently tested on the Leaving Certificate German Higher Level paper.
- To help you recognise and apply grammatical structures.
- To help you achieve a good understanding of German grammar that will be useful to you in all sections of the examination.

The '**Angewandte Grammatik**' section is worth 25 marks.

This part of the exam tests your ability to apply your knowledge of German grammar to the language of **one** of the Reading Comprehension passages on the paper. There are normally **two** questions, testing **two different aspects** of grammar. The following pages will illustrate many of the areas frequently tested.

REMEMBER:

1. Be familiar with all aspects of German grammar so as to be able to identify various grammatical structures and parts of speech.
2. Be familiar with **all grammatical terms in German**, e.g. 'Zeitform' (*Präsens, Präteritum/Imperfekt, Perfekt, etc.*), 'Fragewörter' (*wer, warum, was, etc.*), 'Relativpronomen', etc.
3. Pay close attention to the **example** given. It is there to help you.

Timing

You should spend approximately **15–20 minutes** on this section, depending on the detail required. You may even complete the tasks in less time. Consider it carries **25 marks**, while the Reading Comprehension passage carries **60 marks**. Do not neglect any part of it **but do not linger**!

Fälle (*Cases*)

One area frequently tested in the 'Angewandte Grammatik' is your understanding of the four cases in German: **Nominativ, Akkusativ, Dativ, Genitiv.**

It is important to have a basic understanding of **what these cases actually mean.**

- The **nominative case** denotes the **subject** of the sentence. The subject is the doer, the person or thing that **governs** the verb, e.g. *'Der Mann ist vierzig Jahre alt'*. The subject is *'Der Mann'*, so he is in the nominative case.
- The **accusative case** denotes the **direct object** of the sentence. The direct object is **governed by** the verb, e.g. *'Die Frau liest die Zeitung.' 'Die Zeitung'* is the direct object, so it is in the accusative case.
- The **dative case** denotes the **indirect object** of the sentence. The indirect object is **governed indirectly by** the verb and frequently contains the notion of 'to' a person or thing, e.g. *'Ich schicke meiner Freundin eine Postkarte'. 'Meiner Freundin'* (*to my friend*) is the indirect object, so it is in the dative case.
- The **genitive case** denotes **possession**, i.e. 'belonging to' or 'of' a person or thing, e.g. *'Das Auto meines Vaters'* (*my father's car/the car of my father*), so *'meines Vaters'* is the genitive case.

Your knowledge and understanding of the cases (**Fälle**) can be applied to several areas of grammar: '**Bestimmte und unbestimmte Artikel**' (definite and indefinite articles), '**Nomen/Substantive**' (nouns), '**Adjektivendungen**' (adjective endings), '**Pronomen**' (pronouns), '**Relativpronomen**' (relative pronouns), and '**Präpositionen**' (prepositions).

There are four lists of prepositions that you should learn. These prepositions determine the case.

Dativ	Akkusativ	Genitiv	Dativ oder Akkusativ*
aus	bis	außerhalb	an
bei	durch	innerhalb	auf
gegenüber	entlang**	statt	hinter
mit	für	trotz	in
nach	gegen	während	neben
seit	ohne	wegen	über
von	um		unter
zu			vor
			zwischen

* Dative indicates position.

** Entlang usually comes after the noun and uses the accusative case, e.g. 'den Wald entlang'. However, sometimes it comes before the noun and uses the genitive, e.g. 'entlang des Weges', or dative, e.g. 'entlang dem Fluss'.

Wir essen in **der** Küche. *We eat in the kitchen.*
Die Katze sitzt auf **dem** Stuhl. *The cat is sitting on the chair.*

Accusative indicates **movement towards.**

Wir gehen in **die** Küche. *We are going into the kitchen.*
Die Katze springt auf **den** Stuhl. *The cat jumps onto the chair.*

Exam question: Guided answers

Prepositions were tested in the **2012** exam paper:

Question 1, *Angewandte Grammatik.*

Lesen Sie den folgenden Text und setzen Sie die **fehlenden Präpositionen** aus dem Kästchen unten ein! Achtung! Eine Präposition passt nicht!

Viele Grüße **aus** dem griechischen Dorf Nikiti. (1) .... den Souvenirläden hier stehen so viele Postkartenständer, deshalb diese Postkarte! Ich wohne (2) .... einem kleinen Hotel, das (3) .... einem Restaurant liegt. Morgens frühstücke ich (4) .... dem Sonnendach des Restaurants. Danach gehe ich (5) .... den Strand.

in	an	vor	hinter	zu	unter

See if you can use your knowledge of prepositions to answer accurately. Be careful. One preposition does not fit.

***Beispiel:* 'Aus' meaning 'from' in this context is the obvious answer – 'Greetings from ...' It is also followed by the dative case, as you see.**

1. Where would you expect to find the postcard stands? The obvious answers would be *in* or *in front of.* The preposition 'in' will be needed later. It's always a good idea to read through the text before deciding. This gives you an understanding of the content and you will choose sensibly. '**Vor**' is followed by the dative. So **vor** is correct here.

2. This must be obvious: I'm staying **in** a hotel!

3. Where is the hotel in relation to the restaurant? You have already used vor. The correct answer is **hinter**.

4 Where might the narrator eat breakfast? You have few options left. A 'Sonnendach' (you could guess) is a sun shade or awning. The correct answer is, of course, **unter**.

5 Now this one is tricky! You might be tempted to write '<u>zu</u>'. It is wrong. Refer back to the list of prepositions and you will be reminded that <u>zu</u> is followed by the dative case. <u>Den</u> Strand is accusative. It is in the list of prepositions that take the accusative case when there is 'movement towards'. Movement is indicated in the sentence: *Danach <u>gehe</u> ich ________ den Strand.* The correct answer is **an**.

Answers:

Viele Grüße **<u>aus</u>** dem griechischen Dorf Nikiti. **(1)** **<u>Vor</u>** den Souvenirläden hier stehen so viele Postkartenständer, deshalb diese Postkarte! Ich wohne **(2)** **<u>in</u>** einem kleinen Hotel, das **(3)** **<u>hinter</u>** einem Restaurant liegt. Morgens frühstücke ich **(4)** **<u>unter</u>** dem Sonnendach des Restaurants. Danach gehe ich **(5)** **<u>an</u>** den Strand.

As you see, if you know and understand what the cases **mean** and if you have **learned the preposition lists**, you will be able to make sense of the exam questions on this topic.

As a further aid to prepare for the examination of ***Fälle***, here is a reminder of the declension of the definite article 'the' and the indefinite article 'a'.

Declension of the definite article: **the:**

Der bestimmte Artikel				
	Maskulinum	**Femininum**	**Neutrum**	**Plural**
Nom.	der	die	das	die
Akk.	den	die	das	die
Dat.	dem	der	dem	den
Gen.	des	der	des	der

Declension of the indefinite article: **a:**

Der unbestimmte Artikel				
	Maskulinum	**Femininum**	**Neutrum**	**No Plural**
Nom.	ein	eine	ein	
Akk.	einen	eine	ein	
Dat.	einem	einer	einem	
Gen.	eines	einer	eines	

Exam question: Guided answers (2017)

Now look at **Question 1** of the 'Angewandte Grammatik' section of the **2017** exam (page 50) and see how you might use the knowledge you have acquired.

Sie sehen unten Sätze, in denen **bestimmte Artikel** unterstrichen sind. Sehen Sie sich das Beispiel an. Geben Sie nun zu den anderen **fünf bestimmten Artikeln** jeweils an:

- ob Singular oder Plural
- bei Singular das Geschlecht (Femininum, Maskulinum, Neutrum)
- den Fall (Nominativ, Akkusativ, Dativ, Genitiv)

***Beispiel:* Markus musste das Formular an eine andere Abteilung weitersenden. das: Singular, Neutrum, Akkusativ**

Beispiel: The example will always help you to go through the remaining questions. The word **'das'** is clearly singular. It is **neuter.** Determining the case is usually the most difficult task in this area. Why is it accusative? **Markus muss das Fromular weitersenden.** (Markus has to forward the form.) Remember what you have learned – the accusative denotes the **direct object**, in this case **das Formular.** It is governed by the verb, in this case **weitersenden.**

1. *Als Mitglied des Buchklubs bekam er viermal im Jahr einen Katalog.* **Klub** is masculine and singular. The genitive singular, **des** (masculine and neuter), is easily recognisable. However, if you are unsure, translate the sentence and see if it helps: 'As a member of the book club he got a catalogue four times a year.' What does the phrase 'of the book club' say to you? It implies 'belonging to'. Refer to the introductory notes on the cases. This is the genitive case.
Answer: des – Singular, Maskulinum, Genitiv

2. *Elvira tippte Reihen von Zahlen in den Computer.* (Elvira typed rows of numbers/figures into the computer.) The word 'computer' is singular and masculine (den). You have learnt that 'den' (singular) is the accusative case. A further understanding of the preposition 'in' will help you to confirm the answer. The preposition 'in' takes the accusative case when there is 'movement towards' (into the computer).
Answer: den – Singular, Maskulinum, Akkusativ

3. *Als Markus von der Arbeit kam, fing es an zu regnen.* Here your knowledge of prepositions will make this answer easy. The preposition 'von' is followed by the dative case. You probably know that 'Arbeit' is feminine. 'Der' is dative feminine.
Answer: der – Singular, Femininum, Dativ

4 *Der Regen trommelte gegen die Scheiben.* (The rain was beating against the window panes.) What is the subject of the sentence? The rain, of course – Der Regen. Therefore it is the nominative case. It is masculine (der) and singular.
Answer: Der – Singular, Maskulinum, Nominativ

5 *Markus legte die Hände auf den kalten Marmor.* (Markus put his hands on the cold marble.) Work out subject and object. Markus is the subject and the hands are the object. Therefore the hands (die Hände) are in the accusative case. Because the word is plural, there is no need to worry about gender.
Answer: die – Plural, Akkusativ

Exam question: Guided answers

In the **2015** exam paper, **Question 1** in the 'Angewandte Grammatik' section was based on nouns (**Substantive**). As in the 2017 question on **bestimmte Artikel**, you are asked to determine the gender, case and whether the word is singular or plural. Your knowledge and understanding of the cases will be applied similarly. But this time, you focus on nouns.

Sie sehen unten Sätze, in denen **Substantive** (**Nomen**) unterstrichen sind. Sehen Sie sich das Beispiel an. Geben Sie nun zu den anderen **fünf Substantiven** an:

- ob Singular oder Plural
- bei Singular das Geschlecht (Femininum, Maskulinum, Neutrum)
- den Fall (Nominativ, Akkusativ, Dativ, Genitiv)

Beispiel: Die Erzählerin war mit dem Enkel verheiratet. **ENKEL: Singular, Maskulinum, Dativ**

Beispiel: The word **Enkel** (grandson) is obviously masculine. It is clearly singular. Remember the preposition **mit** is followed by the dative case.

1 *Lisbeth hat im Seniorenheim eine eigene Wohnung.* 'Wohnung' is obviously singular, and it is feminine. Once again, the case (**Fall**) might take a little more time to work out. If Lisbeth has the apartment (**Wohnung**), she is the subject. What then is the **Wohnung**? It is the object and therefore the accusative case.
Answer: Wohnung – Singular, Femininum, Akkusativ

2 *Einmal in ihrem Leben möchte sie richtig fliegen.* The main clue to determining the case is the preposition **'in'**. This preposition can be followed by the dative or, if movement towards is indicated, the accusative. There is no movement here. Also, the ending **–em** indicates dative. The word Leben (life) is clearly singular and it is neuter.
Answer: Leben – Singular, Neutrum, Dativ

3 *Ihre Enkelin schickt einen Scheck, damit Lisbeths Wunsch erfüllt werden kann.* The word **'Enkelin'** (granddaughter) is feminine and singular. She is also the subject of the sentence, (She is sending the cheque.) hence the nominative case.
Answer: Enkelin – Singular, Femininum, Nominativ

4 *Nach mehreren Telefonaten hat die Erzählerin einen Flug organisiert.* The key word in this sentence is **'mehreren'** (several). It is plural. You don't have to worry about gender. Now the case. The preposition **nach** is followed by the dative case.
Answer: Telefonaten – Plural, Dativ

5 *Am Tag des Geburtstags steht Lisbeths Name in der Zeitung.* The genitive singular, **des** (masculine and neuter), is instantly recognisable. It comes before the word **'Geburtstags'**, so the word is in the genitive case. (On the day of the birthday). It is masculine (as in **der Tag**) and it is singular.
Answer: Geburtstags – Singular, Maskulinum, Genitiv

Adjektivendungen (*Adjective endings*)

Note: While the adjective endings are in **bold red** type, the table also clearly indicates the following:

- bestimmte Artikel ('der, die, das', etc.)
- unbestimmte Artikel ('ein, eine, einen', etc.)
- Nomen/Substantive (*nouns*)
- Geschlecht (*masculine, feminine, neuter*)
- Singular und Plural

Nach dem bestimmten Artikel (After the definite article)

	Maskulinum	Femininum	Neutrum	Plural
Nom.	der alte Mann	die alte Frau	das alte Haus	die alten Häuser
Akk.	den alten Mann	die alte Frau	das alte Haus	die alten Häuser
Dat.	dem alten Mann	der alten Frau	dem alten Haus	den alten Häusern
Gen.	des alten Mannes	der alten Frau	des alten Hauses	der alten Häuser

The same endings are also used after 'dieser, diese, dieses', etc. and 'welcher, welche, welches', etc.

Dieses blaue Hemd gefällt mir. *I like this blue shirt.* (*Nom. Neut.*)

Welchen deutschen Film hast du gesehen? *Which German film did you see?* (*Akk. Mask.*)

key point

The dative plural noun always ends in '-n'.

Nach dem unbestimmten Artikel (After the indefinite article)

	Maskulinum	Femininum	Neutrum	Plural
Nom.	ein alter Mann	eine alte Frau	ein altes Haus	alte Häuser
Akk.	einen alten Mann	eine alte Frau	ein altes Haus	alte Häuser
Dat.	einem alten Mann	einer alten Frau	einem alten Haus	alten Häusern
Gen.	eines alten Mannes	einer alten Frau	eines alten Hauses	alter Häuser

In the singular form, the same endings are used after 'kein, mein, dein, sein, ihr', etc., e.g. 'mein altes Haus'.

In the plural form, these words are followed by the definite article endings, e.g. 'unsere alten Häuser'.

Sometimes a singular word may have no article in front of it, e.g. 'fresh milk'. If so, the endings are as follows:

	Maskulinum	Femininum	Neutrum
Nom.	guter Wein	frische Luft	weißes Brot
Akk.	guten Wein	frische Luft	weißes Brot
Dat.	gutem Wein	frischer Luft	weißem Brot
Gen.	guten Weines	frischer Luft	weißen Brotes

Exam question: (2013)

Now look at **Question 2** of the 'Angewandte Grammatik' section from the **2013** exam, and see how you would use the information on the previous page.

Lesen Sie den folgenden Text. Sehen Sie sich das Beispiel an und ergänzen Sie **die fehlenden Adjektivendungen**.

Erika sah aus wie ein **ausgewachsenes** (1) Schwein. Das **groß**...................... (2) Plüschtier mit seinem **dick**...................... (3) Kopf hatte **blau**...................... (4) Glasaugen. Erikas **weich**...................... (5) Fell war rosa. Mit **neugierig**...................... (6) Augen schaute sie in die Welt. **Fremd**...................... (7) Menschen lächelten, als sie mein **schön**...................... (8) Weihnachtsgeschenk sahen. Für mich war es eine **gut**...................... (9) Erfahrung, mit **fremd**...................... (10) Leuten in Kontakt zu kommen. Das **süß**...................... (11) Schwein hatte mich gerettet.

This is a straightforward question if you are familiar with the following two areas:
(a) **the cases (Nominativ, Akkusativ, Dativ and Genitiv)**
(b) **the corresponding adjective endings**

Refer to the rules on the cases (Fälle) and the adjective declensions above.

Answers:

Erika sah aus wie ein **ausgewachsenes** (1) Schwein. Das **große** (2) Plüschtier mit seinem **dicken** (3) Kopf hatte **blaue** (4) Glasaugen. Erikas **weiches** (5) Fell war rosa. Mit **neugierigen** (6) Augen schaute sie in die Welt. **Fremde** (7) Menschen lächelten, als sie mein **schönes** (8) Weihnachtsgeschenk sahen. Für mich war es eine **gute** (9) Erfahrung, mit **fremden** (10) Leuten in Kontakt zu kommen. Das **süße** (11) Schwein hatte mich gerettet.

Pronomen (*Pronouns*)

Personalpronomen (*Personal pronouns*)

Nominativ	Akkusativ	Dativ
ich	mich	mir
du	dich	dir
er	ihn	ihm
sie	sie	ihr
es	es	ihm
wir	uns	uns
ihr	euch	euch
sie	sie	ihnen
Sie	Sie	Ihnen

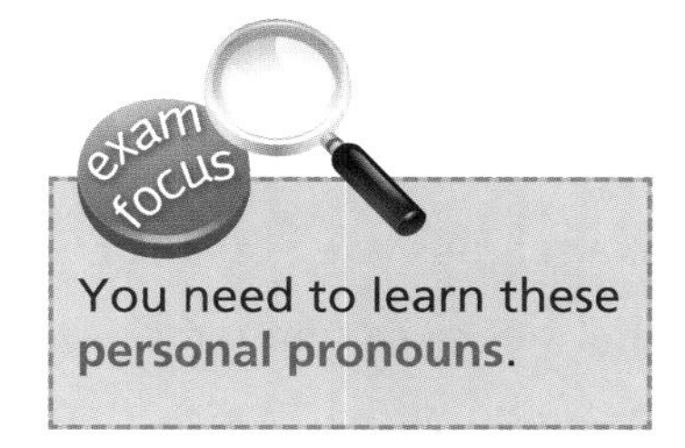

You need to learn these **personal pronouns.**

Reflexivpronomen (*Reflexive pronouns*)

The reflexive pronoun corresponds to the pronouns '**myself, yourself**', etc. In German it has **two distinct forms**:

Akkusativ	Dativ
mich	mir
dich	dir
sich	sich
uns	uns
euch	euch
sich	sich
sich	sich

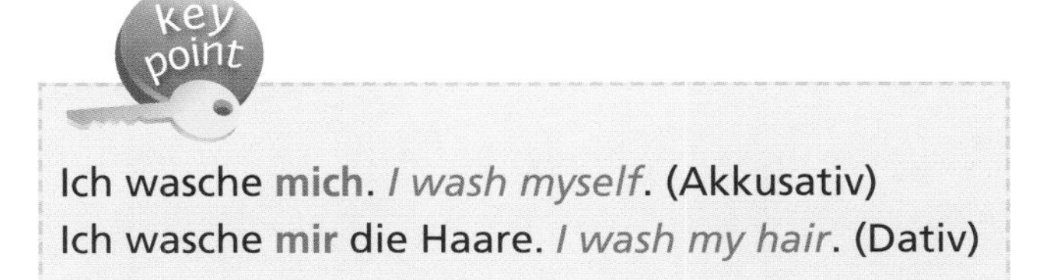

Ich wasche **mich**. *I wash myself*. (Akkusativ)
Ich wasche **mir** die Haare. *I wash my hair*. (Dativ)

Relativpronomen (*Relative pronouns*)

Relative pronouns are frequently tested in the 'Angewandte Grammatik' section. Remember that the knowledge you have acquired with regard to the 'Fälle' (cases) will help you to make sense of these.

Relative pronouns are the equivalent of '**who, whose, whom, which, that**' in English. A **relative clause** (*Relativsatz*) gives **extra** information about something or someone. Look at the example on the following page:

Ich mag die Jacke, die sie trägt. *I like the jacket that she is wearing.*

'Ich mag die Jacke' (*I like the jacket*) is a main clause; '**die** sie trägt' (*that she is wearing*) is extra **information**.

The relative pronoun cannot be left out in German as it can in English. 'The man I saw yesterday ...' is perfectly correct English. However, in German you must say 'Der Mann, den ich gestern gesehen habe ...'

Learn and remember the following rules regarding relative pronouns.

- The relative pronoun must agree in gender and number with the noun to which it refers, i.e. masculine, feminine, neuter, singular, plural: Der Mann, **den** ich gesehen habe ...
- The case (*Fall*) of the relative pronoun will depend on its function in the relative clause. In the above example, the man is the direct object of the relative clause. Therefore, he is in the accusative case.
- The verb of the relative clause goes to the end of the relative clause.
- Separate the main clause from the relative clause by a comma.

The following is a reminder of the relative pronouns:

	Maskulinum	Femininum	Neutrum	Plural
Nom.	der	die	das	die
Akk.	den	die	das	die
Dat.	dem	der	dem	denen
Gen.	dessen	deren	dessen	deren

Exam Question: Guided answers

As you go through these guided answers, refer back to the above rules and see how they are applied.

Question 2 of the 'Angewandte Grammatik' section of the **2015** exam tests relative pronouns.

Lesen Sie den folgenden Text. Sehen Sie sich das Beispiel an und ergänzen Sie die fehlenden **Relativpronomen**.

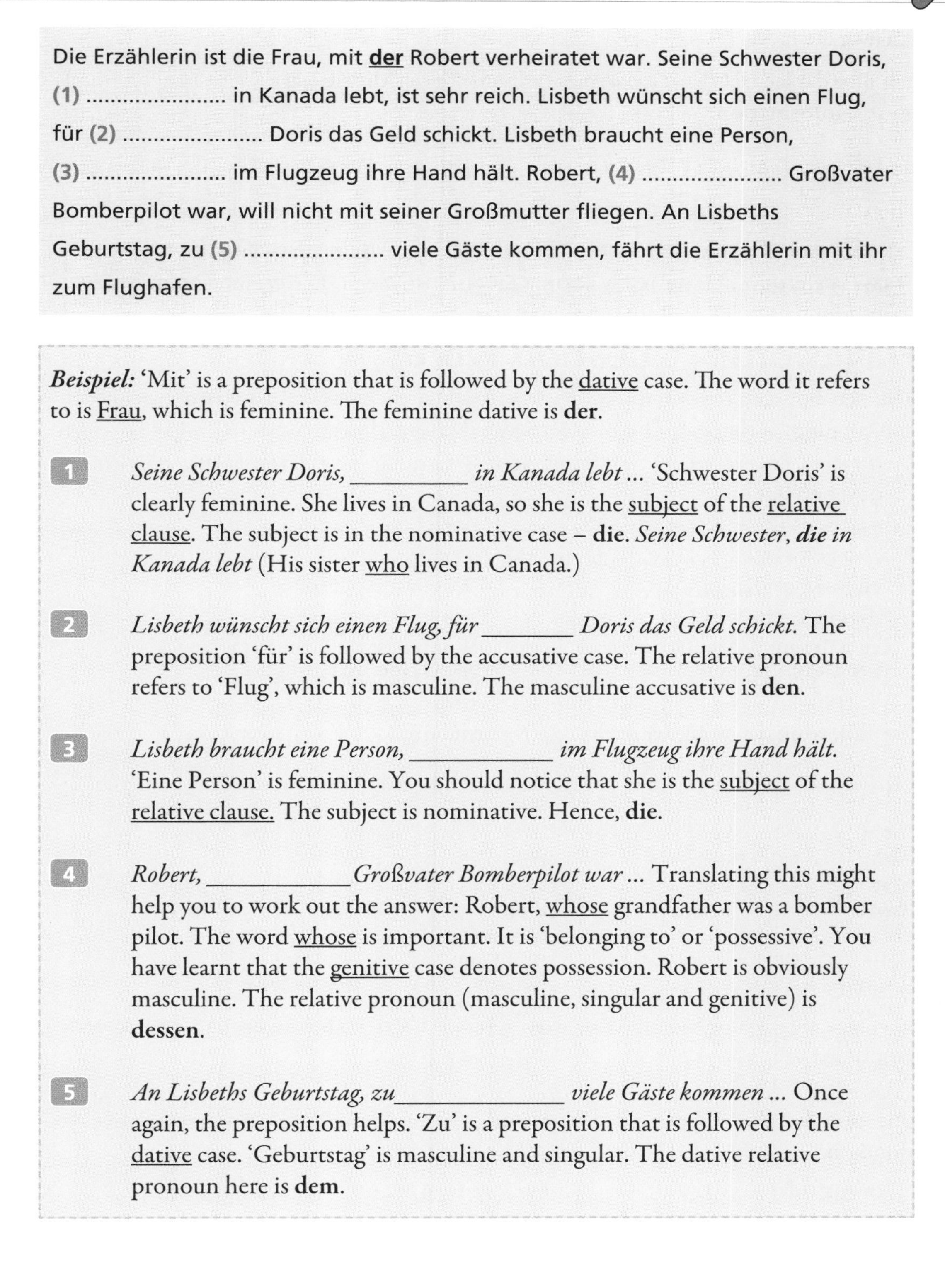

Die Erzählerin ist die Frau, mit **der** Robert verheiratet war. Seine Schwester Doris, (1) .... in Kanada lebt, ist sehr reich. Lisbeth wünscht sich einen Flug, für (2) .... Doris das Geld schickt. Lisbeth braucht eine Person, (3) .... im Flugzeug ihre Hand hält. Robert, (4) .... Großvater Bomberpilot war, will nicht mit seiner Großmutter fliegen. An Lisbeths Geburtstag, zu (5) .... viele Gäste kommen, fährt die Erzählerin mit ihr zum Flughafen.

Beispiel: 'Mit' is a preposition that is followed by the dative case. The word it refers to is Frau, which is feminine. The feminine dative is **der**.

1. *Seine Schwester Doris, __________ in Kanada lebt ...* 'Schwester Doris' is clearly feminine. She lives in Canada, so she is the subject of the relative clause. The subject is in the nominative case – **die**. *Seine Schwester, **die** in Kanada lebt* (His sister who lives in Canada.)

2. *Lisbeth wünscht sich einen Flug, für ________ Doris das Geld schickt.* The preposition 'für' is followed by the accusative case. The relative pronoun refers to 'Flug', which is masculine. The masculine accusative is **den**.

3. *Lisbeth braucht eine Person, ____________ im Flugzeug ihre Hand hält.* 'Eine Person' is feminine. You should notice that she is the subject of the relative clause. The subject is nominative. Hence, **die**.

4. *Robert, ____________ Großvater Bomberpilot war ...* Translating this might help you to work out the answer: Robert, whose grandfather was a bomber pilot. The word whose is important. It is 'belonging to' or 'possessive'. You have learnt that the genitive case denotes possession. Robert is obviously masculine. The relative pronoun (masculine, singular and genitive) is **dessen**.

5. *An Lisbeths Geburtstag, zu ______________ viele Gäste kommen ...* Once again, the preposition helps. 'Zu' is a preposition that is followed by the dative case. 'Geburtstag' is masculine and singular. The dative relative pronoun here is **dem**.

Answers:

Die Erzählerin ist die Frau, mit **der** Robert verheiratet war. Seine Schwester Doris, (1) **die** in Kanada lebt, ist sehr reich. Lisbeth wünscht sich einen Flug, für (2) **den** Doris das Geld schickt. Lisbeth braucht eine Person, (3) **die** im Flugzeug ihre Hand hält. Robert, (4) **dessen** Großvater Bomberpilot war, will nicht mit seiner Großmutter fliegen. An Lisbeths Geburtstag, zu (5) **dem** viele Gäste kommen, fährt die Erzählerin mit ihr zum Flughafen.

Fragewörter (*Question words*)

You may be asked to form questions, which would elicit answers based on the content and language of the text. The answer required is underlined.

Example: Karl hat mich angerufen.
Karl is underlined, so the question is: '**Wer** hat angerufen?' (*Who called?*)

Further examples:

Ich lese gern Krimis.	**Was** liest du gern?
Mannheim liegt in Deutschland.	**Wo** liegt Mannheim?
Ich habe am 9. Mai Geburtstag.	**Wann** hast du Geburtstag?
Es hat 58€ gekostet.	**Wie viel** hat es gekostet?
Der Film dauert zwei Stunden.	**Wie lange** dauert der Film?
Der Regenschirm gehört der Dame.	**Wem** gehört der Regenschirm?

Here is a list to remind you of the most frequently used question words.

Wo?	*Where?*	Wem?	*Whom?* (Dat.)
Woher?	*From where?*	Wessen?	*Whose?*
Wohin?	*Where to?*	Wie viel?	*How much?*
Wann?	*When?*	Wie viele?	*How many?*
Was?	*What?*	Wie oft?	*How often?*
Was für?	*What kind of/sort of?*	Wie lange?	*How long?*
Warum?	*Why?*	Welcher? (*m.*)	*Which/What?*
Wie?	*How?*	Welche? (*f.*)	
Wer?	*Who?* (Nom.)	Welches? (*n.*)	
Wen?	*Whom?* (Akk.)	Welche? (*pl.*)	

Where the answer requires the question word 'who', 'whose' or 'whom', note the following rules.

- **Wer** is the **subject** of the question, therefore is the **nominative case.**
- **Wen** is the **direct object** of the question, therefore is in the **accusative case.**
- **Wem** is the **indirect object** of the question, therefore is in the **dative case.**
- **Wessen** simply means 'whose' (**genitive**) and can be put directly in front of a noun.

Look at the following examples:

Wer fehlt heute? *Who is absent today?*
Wen hast du gesehen? *Whom did you see?*
Wem gehört der Regenschirm? *Who owns the umbrella? (Lit. 'To whom does the umbrella belong?')*
Wessen Auto ist das? *Whose car is that?*

key point

Sometimes the answer will contain a **preposition**, e.g. 'Die Lehrerin zeigt **auf die Landkarte**.' (*The teacher points to the map.*) In English the question would be 'What is the teacher pointing **to**?' This is conveyed in German by putting '**wo**' in front of the preposition and where the preposition begins with a vowel, the letter '**r**'. The question would read: '**Worauf** zeigt die Lehrerin?'

Further examples:

Ich schreibe mit einem Bleistift.	**Womit** schreibst du?
Es geht um die Kette.	**Worum** geht es?
Der Film handelt von Klimaveränderung.	**Wovon** handelt der Film?
Sie sprechen über die Schule.	**Worüber** sprechen sie?
Ich denke an meine Kindheit.	**Woran** denkst du?

Exam question

Now look at the following question from a past exam paper (2016) and see how the above information is applied.

Angewandte Grammatik **Question 2, 2016**
Sie sehen unten **fünf** Sätze, in denen eine Wortgruppe unterstrichen ist. Welches **Fragewort** würden Sie benutzen, um nach den unterstrichenen Wörtern / Wortgruppen zu fragen? Schreiben Sie die jeweilige Frage auf!

Beispiel: Jamila war am Nachmittag losgefahren.
Wann war Jamila losgefahren?

1	Sie wollte ihre Großmutter besuchen.	**Wen** wollte sie besuchen?
2	Die Großmutter kommt aus der Türkei.	**Woher** kommt die Großmutter?
3	Der Junge aus der U-Bahn hatte ihr Fahrrad gestohlen	**Wer** hatte ihr Fahrrad gestohlen?
4	Er stand an der Theke im Döner-Laden.	**Wo** stand er?
5	Jamila war dem Jungen nicht böse.	**Wem** war Jamila nicht böse?

Konjunktionen (*Conjunctions*)

To combine words, clauses or sentences we use conjunctions, i.e. link words. Some conjunctions affect the word order. Here is a list of the more common conjunctions with examples of use:

Conjunctions that don't affect word order	
und (and)	*Ich lese gern und ich gehe oft ins Kino.*
aber (but)	*Er wollte spazieren gehen, aber es hat geregnet.*
oder (or)	*Wir schicken E-Mails oder wir telefonieren.*
denn (for)	*Er kommt nicht, denn er hat die Grippe.*
sondern (but)	*Ich fahre nicht mit dem Bus, sondern ich gehe zu Fuß.*

Conjunctions that affect word order			
als	*when, as*	obwohl	*although*
als ob	*as if*	seitdem	*since (time)*
bevor	*before*	sobald	*as soon as*
bis	*until*	so dass	*so that (result)*
da	*since* (causal)	solange	*as long as*
dass	*that*	während	*while*
damit	*so that* (purpose)	weil	*because*
nachdem	*after*	wenn	*if, whenever*
ob	*if, whether*		

Some conjunctions change the position of the verb. It is important to learn the rule and to practise by using the more commonly used conjunctions in sentences.

You will be aware that **'weil'** is a frequently used conjunction in both oral and written usage. Understanding its use will help you with other similar conjunctions.

Look at the following two sentences.

Ich muss dieses Jahr viel lernen. Ich will auf die Universität gehen.

Now connect them with the word **'weil'** and note the change in the position of **'will'**:

Ich muss dieses Jahr viel lernen, ***weil*** *ich auf d/ie Universität gehen* ***will.***

Further examples:

Wenn das Wetter gut **ist**, gehe ich spazieren.
Als sie ins Zimmer **kam**, machte sie das Licht an.
Da ich große Eile **hatte**, fuhr ich mit einem Taxi.
Seitdem er die Schule **verlassen hat**, wohnt er in der Großstadt.
Nachdem ich **gefrühstückt hatte**, ging ich in den Garten.

Ich muss meine Hausaufgaben machen, **bevor** ich **ausgehe**.
Meine Eltern sagen, **dass** ich zu viel Geld **ausgebe**.
Obwohl die Uniform altmodisch **ist**, finde ich sie praktisch.
Der Lehrer spricht langsam und deutlich, **damit** die Schüler ihn gut **verstehen**.

Exam question 2016

Conjunctions were tested in **Question 1** of the *Angewandte Grammatik* section of the **2016** exam paper:

Lesen Sie den folgenden Text. Sehen Sie sich das Beispiel an und ergänzen Sie die fehlenden **Konjunktionen**.

It is important to understand the story in the comprehension passage. Inserted words must be grammatically correct, but they must also make sense.

Obwohl seine Augen halb geschlossen sind, bemerkt der Junge, (1) .... Jamila mehrmals zu ihm rüberschaut. (2) .... zwei Männer in die U-Bahn eingestiegen sind, beginnen sie, die Fahrkarten der Fahrgäste zu kontrollieren. Der Junge muss mit den Kontrolleuren an der nächsten U-Bahn-Station aussteigen, (3) .... er keine Fahrkarte hat. Er wird am Arm festgehalten, (4) .... er schafft es, wegzurennen. Jamila lädt den Jungen zu einem Döner ein, (5) .... er aus dem Laden rennen kann.

~~Obwohl~~	weil	aber	dass	bevor	nachdem

Answers:

(1) dass	(2) Nachdem	(3) weil	(4) aber	(5) bevor

Verben (*Verbs*)

When verbs are tested in the 'Angewandte Grammatik' section, the emphasis is often on the 'Zeitform' (*tense*), but there are other aspects. You may be required to do any of the following:

- identify the **tense** of a verb
- give its **infinitive** form
- state whether it is **singular** or **plural**
- change the verb into another tense (e.g. '**Präsens**' to '**Imperfekt**')

It is very important to be able to **recognise** and **write** the verbs in different tenses. They are **frequently tested.** Be familiar with the German words for these tenses: Präsens, Perfekt, Imperfekt/Präteritum, Plusquamperfekt, Futur, Konditional.

Consider the following sentences based on the language of a past Reading Comprehension Passage (Text I 'Leseverständnis', 2009). The following two tasks will test your knowledge and understanding of verbs.

Task 1

In the case of each underlined verb:

- identify the **tense** (*Zeitform*)
- give the **infinitive** form of the verb
- state whether it is **singular** or **plural**

1. Ich brachte meine Mathematikarbeiten mit nach Hause.
2. „Und schlägt dein Herz dafür?"
3. Mein Vater ging zu allen Elternsprechtagen.
4. Niemand hatte den Inseln einen Namen gegeben.
5. Früher haben die Einwohner schwarze Filzhüte getragen.
6. Die Leute kommen nie von den Inseln weg.
7. Das ist ein komisches Völkchen dort draußen.
8. Ein kleiner Junge schaute mich an.
9. Noch nie hatte ich solche Augenbrauen gesehen.
10. Ich fand ein einziges neues Foto.

Answers

1. brachte: Imperfekt/Präteritum, bringen, Singular
2. schlägt: Präsens, schlagen, Singular
3. ging: Imperfekt/Präteritum, gehen, Singular
4. hatte ... gegeben: Plusquamperfekt, geben, Singular
5. haben ... getragen: Perfekt, tragen, Plural
6. kommen: Präsens, kommen, Plural
7. ist: Präsens, sein, Singular
8. schaute an: Imperfekt/Präteritum, anschauen, Singular
9. hatte ... gesehen: Plusquamperfekt, sehen, Singular
10. fand: Imperfekt/Präteritum, finden, Singular

Task 2

Four tenses ('Präsens', 'Imperfekt/Präteritum', 'Perfekt' and 'Plusquamperfekt') occur in the sentences on page 117. Write each verb in the other three tenses. (Make sure the verb agrees with the pronoun/noun.)

Answers

	Präsens	Imperfekt	Perfekt	Plusquamperfekt
1.	bringe	*brachte*	habe gebracht	hatte gebracht
2.	*schlägt*	schlug	hat geschlagen	hatte geschlagen
3.	geht	*ging*	ist gegangen	war gegangen
4.	gibt	gab	hat gegeben	*hatte gegeben*
5.	tragen	trugen	*haben getragen*	hatten getragen
6.	*kommen*	kamen	sind gekommen	waren gekommen
7.	*ist*	war	ist gewesen	war gewesen
8.	schaut an	*schaute an*	hat angeschaut	hatte angeschaut
9.	sehe	sah	habe gesehen	*hatte gesehen*
10.	finde	*fand*	habe gefunden	hatte gefunden

You can test yourself with many more examples from Leaving Certificate passages. Read through the texts, picking out examples of verbs and repeat the exercise as illustrated. Refer to the list of verbs on pages 124–126 to check and learn how the verbs change in their various tenses.

Note that the 'Perfekt' and the 'Plusquamperfekt' each has the same past participle. The tenses are distinguished by the tense of the 'Hilfsverb' ('haben' or 'sein'). While the perfect tense is formed with the present tense of 'haben' or 'sein', the pluperfect tense is formed with the imperfect tense of these verbs.

The pluperfect tense goes a step further into the past.
Ich habe das Foto gesehen. (*I saw/have seen the photo.*) (Perfekt)
Ich hatte das Foto gesehen. (*I had seen the photo.*) (Plusquamperfekt)

Exam question 2017 (page 50)

Now consider how the verb question (**Question 2**) was worded in the 'Angewandte Grammatik' section of the **2017** exam paper. You will see how you can use your knowledge and understanding of verbs to answer.

Schreiben Sie die unterstrichenen Verben **im Präsens**, wie im Beispiel.

Beispiel: Markus Mehring war vier-oder fünfunddreißig Jahre alt. Markus Mehring **ist** vier oder fünfunddreißig Jahre alt.

1 Am liebsten las er Abenteuerromane.
Am liebsten **liest** er Abenteuerromane.

2 Er arbeitete in einem Amtsgebäude an einem Schreibtisch.
Er **arbeitet** in einem Amtsgebäude an einem Schreibtisch.

3 Es gab aber schlimmere Jobs als seinen.
Es **gibt** aber schlimmere Jobs als seinen.

4 Einmal im Jahr fuhr er in eine Ferienpension.
Einmal im Jahr **fährt** er in eine Ferienpension.

5 Im Lotto gewann er nie.
Im Lotto **gewinnt** er nie.

Modalverben (*Modal Verbs*)

Modal verbs are frequently used and you should be familiar with them. They are: **dürfen, können, mögen, müssen, sollen, wollen**. They are mainly used in conjunction with other verbs and followed by the infinitive.

An infinitive dependent on a modal verb is used without **'zu'**. Example: Ich **will** mein Haus **verkaufen**.

Exam question:

Modal verbs were tested in **Question 2** of the *Angewandte Grammatik* section of the **2011** exam paper:

Sie sehen im Folgenden sechs Sätze, in denen **Modalverben im Präsens** fehlen. Sehen Sie sich das Beispiel an. Setzen Sie nun die anderen **fünf Modalverben im Präsens** ein.

***Beispiel*: können** ➜ Eine Kundin kann nicht immer sofort einen Termin bekommen.

1 **wollen** ➜ Frau Kaspari .... noch am gleichen Tag einen Termin beim Chef.

2 **müssen** ➜ Bei heißem Wetter .... sich das Personal sehr auf die Arbeit konzentrieren.

3 **sollen** ➜ Beate .... das Licht an der Rezeption ausmachen.

4 **können** ➜ Nach Feierabend .... man machen, wozu man Lust hat.

5 **dürfen** ➜ Nur ausgewählte Kunden .... auch nach Feierabend kommen.

Answers:

(1) will (2) muss (3) soll (4) kann (5) dürfen

Der Konjunktiv (*Subjunctive*)

'Konjunktiv I' is formed by adding the endings '-e, -est, -e, -en, -et, -en' to the stem of the infinitive thus:

haben	
ich habe	wir haben
du habest	ihr habet
er, sie, es habe	sie, Sie haben

The verb 'sein' is irregular:

sein	
ich sei	wir seien
du seiest	ihr seiet
er, sie, es sei	sie, Sie seien

'Konjunktiv II' is formed by adding the same endings to the imperfect stem of strong/irregular verbs and an umlaut is usually added to the broad vowels thus:

kam	
ich käme	wir kämen
du kämest	ihr kämet
er, sie, es käme	sie, Sie kämen

war	
ich wäre	wir wären
du wärest	ihr wäret
er, sie, es wäre	sie, Sie wären

The 'Konjunktiv II' of weak/regular verbs is exactly the same as the imperfect tense.

The **'Konjunktiv'** is often used in indirect/reported speech (*indirekte Rede*). You may come across this in Reading Comprehension passages. There are examples of indirect speech in the 2007 exam (Text I). Consider the following extract.

Ich sagte dem Kleinen, die Violine **sei** ein wunderbares Instrument. Man **könne** viel mit ihr machen und vor allem **solle** er Musiknoten lesen lernen, denn **Noten seien** eine geheimnisvolle Sprache. Und obwohl ich leider noch nicht so gut Deutsch **spräche** und aus einer dreitausend Kilometer entfernten Stadt **käme, könne** ich doch seine Musiknoten lesen und spielen.

All the words in bold are verbs in the 'Konjunktiv'. They are there as a result of 'Ich sagte ...' (*I said* ...) If the author of this extract was speaking directly to the little boy, the extract would not have used this form. It would read thus:

„Die Violine **ist** ein wunderbares Instrument. Man **kann** viel mit ihr machen und vor allem **sollst** du Musiknoten lesen lernen, denn **Noten sind** eine geheimnisvolle Sprache. Und obwohl ich leider noch nicht so gut Deutsch **spreche** und aus einer dreitausend Kilometer entfernten Stadt **komme, kann** ich doch **deine** Musiknoten lesen und spielen."

Don't worry! You do not have to use the 'Konjunktiv' very often. You could write pages of excellent German without a single example of this. However, a question may arise that requires you to write a portion of indirect speech in its **direct** form.

Exam question

Now consider **Question 2** from the 'Angewandte Grammatik' section of the **2012** exam paper.

Sie sehen unten Sätze, in denen jeweils die **indirekte Rede** unterstrichen ist. Sehen Sie sich das Beispiel an. Schreiben Sie nun die fünf Sätze in **direkter Rede** auf.

Beispiel: Der Busfahrer sagte, Nikiti sei ein schöner Ort in Griechenland.
Er sagte: *„Nikiti ist ein schöner Ort in Griechenland."*

1. Der Busfahrer fragte mich, woher ich käme.
Er fragte: „Woher kommen Sie?"

2. Er sagte, er sei öfters in Nikiti.
Er sagte: „Ich bin öfters in Nikiti."

3. Ela sagte, ich solle mich nicht wundern.
Sie sagte: „Wundern Sie sich nicht." / „Wundere dich nicht." / „Sie sollen sich / du sollst dich nicht wundern"

4. Ela sagte, das Licht funktioniere nicht.
Sie sagte: „Das Licht funktioniert nicht."

5. Dámis fragte mich, wie ich geschlafen hätte.
Er fragte: „Wie hast du geschlafen?"

The '**Konjunktiv II**' is used to convey the **conditional** tense, i.e. what one **would** do:

Ich **würde** ein großes Haus kaufen. *I would buy a big house.*
Ich **hätte** gern eine Tasse Tee. *I would like a cup of tea.*

Examples from past exam papers:

Dort ist nichts, was eine Reise wert **wäre.** *There is nothing there that would be worth a trip.* (Text 1, 2009)

Aus irgendeinem Grund hatte ich gehofft, dass er am Tag meiner Ankunft frei haben **würde**. *For some reason I had hoped that he would be free on the day of my arrival.* (Text 1, 2012)
Es war, als **hätte** ich vergessen zu leben. *It was as though I had forgotten to live.* (Text 1, 2013)
Sie **hätte** ihm gerne ihr Mitgefühl **gezeigt**. *She would have liked to show him her sympathy.* (Text 1, 2016)
Zumindest einen Versuch **könnte** man wagen. *At least one could risk an attempt.* (Text 1, 2017)

Das Passiv (*Passive*)

You will recognise the passive by the use of 'werden' and the past participle:

Die Fenster werden geputzt. *The windows are being cleaned.*
Die Hefte wurden eingesammelt. *The copies were collected.*
Das Auto ist repariert worden. *The car has been repaired.*
Der Junge wird bestraft werden. *The boy will be punished.*

Examples from past exam papers:

Die Prüfungsarbeiten **werden eingesammelt** und sofort **korrigiert**. *The exam papers are collected and corrected immediately*. (Text 11, 2015)
Ein schmales Gesicht, das halb von strähnigen, rötlichen Haaren **verdeckt wurde**. *A slender face, that was half covered with straggly, reddish hair*. (Text 1, 2016)
Sie **wurde** liebevoll Tante Emma **genannt**. *She was affectionately called Tante Emma*. (Text 11, 2016)
Aber das Gebäude **wurde verkauft** und soll **modernisiert** und **umgebaut werden**. *But the building was sold and is due to be modernised and renovated.* (Text 11, 2017)

You may not actually need to use the passive in your writing. You can often avoid it by the use of the impersonal man, e.g 'Man putzt die Fenster.' 'Man hat das Auto repariert.' However, you might be asked to identify it in a passage and/or to show a basic knowledge of it in one of the grammar tasks.

Verbliste (*Verb list*)

(A list of the most common irregular verbs)

You should be familiar with the verbs in the following list. They will help you not only in the 'Angewandte Grammatik' section, but also with your understanding of the Reading Comprehension passages as well as your writing and speaking skills.

- The verbs marked with an asterisk (*) are conjugated with the verb '**sein**' in the perfect tense. All others are conjugated with '**haben**'. The verbs marked with a double asterisk (**) use either '**haben**' or '**sein**' depending on the context or meaning.
- The **pluperfect** (*Plusquamperfekt*) is not given, as it is formed in a similar way to the perfect, i.e. **same past participle** but with the **imperfect** tense of '**haben**' or '**sein**'.
- The **third person present tense** is also given to show you how certain verbs change in the present tense.

- Where there are several verbs with the same stem but a different prefix (for example, 'stehen, verstehen, entstehen, bestehen') only **one** example is given. All other verbs in this group are formed similarly. (For example, past participles are 'gestanden, verstanden, entstanden, bestanden'.) Only the prefix is different.
- **Separable verbs** are **not** listed. In these cases the prefix goes **before** the '**ge-**': laden (*to load*) geladen; einladen (*to invite*) eingeladen.

Weak/Regular Verbs

Infinitive	Present	Imperfect	Perfect	English
machen	macht	machte	gemacht	*to do/make*

All weak/regular verbs follow this pattern.

Strong/Irregular Verbs

Infinitive	Present	Imperfect	Perfect	English
beginnen	beginnt	begann	begonnen	*to begin*
beißen	beißt	biss	gebissen	*to bite*
betrügen	betrügt	betrog	betrogen	*to deceive*
biegen	biegt	bog	gebogen	*to bend*
bieten	bietet	bot	geboten	*to offer*
binden	bindet	band	gebunden	*to tie*
bitten	bittet	bat	gebeten	*to ask/request*
blasen	bläst	blies	geblasen	*to blow*
bleiben	bleibt	blieb	geblieben*	*to stay/remain*
brechen	bricht	brach	gebrochen	*to break*
brennen	brennt	brannte	gebrannt	*to burn*
bringen	bringt	brachte	gebracht	*to bring*
denken	denkt	dachte	gedacht	*to think*
dürfen	darf	durfte	gedurft	*to be allowed*
empfehlen	empfiehlt	empfahl	empfohlen	*to recommend*
essen	isst	aß	gegessen	*to eat*
fahren	fährt	fuhr	gefahren**	*to go/travel*
fallen	fällt	fiel	gefallen*	*to fall*
fangen	fängt	fing	gefangen**	*to catch*
finden	findet	fand	gefunden	*to find*

Infinitive	Present	Imperfect	Perfect	English
fliegen	fliegt	flog	geflogen**	*to fly*
fliehen	flieht	floh	geflohen*	*to flee*
fließen	fließt	floss	geflossen*	*to flow*
frieren	friert	fror	gefroren**	*to freeze*
geben	gibt	gab	gegeben	*to give*
gehen	geht	ging	gegangen*	*to go*
gelingen	gelingt	gelang	gelungen*	*to succeed*
genießen	genießt	genoss	genossen	*to enjoy*
geschehen	geschieht	geschah	geschehen*	*to happen*
gewinnen	gewinnt	gewann	gewonnen	*to win*
graben	gräbt	grub	gegraben	*to dig*
greifen	greift	griff	gegriffen	*to grasp*
haben	hat	hatte	gehabt	*to have*
halten	hält	hielt	gehalten	*to stop/hold*
hängen	hängt	hing	gehangen	*to hang*
heben	hebt	hob	gehoben	*to lift*
heißen	heißt	hieß	geheißen	*to be called*
helfen	hilft	half	geholfen	*to help*
kennen	kennt	kannte	gekannt	*to know (person or place)*
kommen	kommt	kam	gekommen*	*to come*
können	kann	konnte	gekonnt	*to be able to*
laden	lädt	lud	geladen	*to load*
lassen	lässt	ließ	gelassen	*to let/allow*
laufen	läuft	lief	gelaufen*	*to run*
leiden	leidet	litt	gelitten	*to suffer*
leihen	leiht	lieh	geliehen	*to lend/borrow*
lesen	liest	las	gelesen	*to read*
liegen	liegt	lag	gelegen	*to lie*
lügen	lügt	log	gelogen	*to tell a lie*
meiden	meidet	mied	gemieden	*to avoid*
misslingen	misslingt	misslang	misslungen*	*to fail*
mögen	mag	mochte	gemocht	*to like*
müssen	muss	musste	gemusst	*to have to*
nehmen	nimmt	nahm	genommen	*to take*
nennen	nennt	nannte	genannt	*to name*
raten	rät	riet	geraten	*to guess*
reiten	reitet	ritt	geritten**	*to ride*
reißen	reißt	riss	gerissen	*to rip/tear*
rennen	rennt	rannte	gerannt*	*to run/race*
riechen	riecht	roch	gerochen	*to smell*
rufen	ruft	rief	gerufen	*to call*
scheiden	scheidet	schied	geschieden**	*to separate*
scheinen	scheint	schien	geschienen	*to shine/seem*
schieben	schiebt	schob	geschoben	*to push*
schlafen	schläft	schlief	geschlafen	*to sleep*
schlagen	schlägt	schlug	geschlagen**	*to hit/strike/defeat*
schließen	schließt	schloss	geschlossen**	*to close/shut*
schneiden	schneidet	schnitt	geschnitten	*to cut*
schreiben	schreibt	schrieb	geschrieben	*to write*

Infinitive	Present	Imperfect	Perfect	English
schreien	schreit	schrie	geschrien	*to cry/shout*
schwimmen	schwimmt	schwamm	geschwommen*	*to swim*
sehen	sieht	sah	gesehen	*to see*
sein	ist	war	gewesen*	*to be*
senden	sendet	sandte	gesandt	*to send*
sitzen	sitzt	saß	gesessen	*to sit*
sollen	soll	sollte	gesollt/sollen	*ought to*
sprechen	spricht	sprach	gesprochen	*to speak*
stehen	steht	stand	gestanden	*to stand*
stehlen	stiehlt	stahl	gestohlen	*to steal*
steigen	steigt	stieg	gestiegen*	*to climb*
sterben	stirbt	starb	gestorben*	*to die*
stoßen	stößt	stieß	gestoßen	*to push*
streichen	streicht	strich	gestrichen	*to paint*
tragen	trägt	trug	getragen	*to wear/carry*
treffen	trifft	traf	getroffen	*to meet/hit*
treiben	treibt	trieb	getrieben	*to do (e.g. sport)*
treten	tritt	trat	getreten**	*to step/kick*
trinken	trinkt	trank	getrunken	*to drink*
tun	tut	tat	getan	*to do*
überwinden	überwindet	überwand	überwunden	*to overcome*
vergessen	vergisst	vergaß	vergessen**	*to forget*
verlieren	verliert	verlor	verloren**	*to lose*
verschwinden	verschwindet	verschwand	verschwunden*	*to disappear*
verzeihen	verzeiht	verzieh	verziehen**	*to forgive/pardon*
wachsen	wächst	wuchs	gewachsen*	*to grow*
waschen	wäscht	wusch	gewaschen*	*to wash*
weisen	weist	wies	gewiesen	*to show*
wenden	wendet	wandte	gewendet/gewandt	*to turn*
werben	wirbt	warb	geworben	*to advertise/woo*
werden	wird	wurde	geworden*	*to become*
werfen	wirft	warf	geworfen	*to throw*
wiegen	wiegt	wog	gewogen	*to weigh*
wissen	weiß	wusste	gewusst	*to know (information)*
wollen	will	wollte	gewollt	*to want*
ziehen	zieht	zog	gezogen	*to pull*

4 Written Comment (Äußerung zum Thema)

- To help you to prepare for the 'Äußerung zum Thema' task that follows one of the Reading Comprehension passages.
- To explain with advice and tips the requirements of this task.
- To show you with sample answers how to gain maximum marks in the area of content and language.

The 'Äußerung zum Thema' section is worth 25 marks.

REMEMBER:

1. Give equal attention to each bullet point.
2. Make sure you give the correct number of details required. Remember that half the marks in this section are awarded to content.
3. Try to be as accurate as possible. If you find something too difficult to express, try breaking it down into two or three shorter sentences.
4. Check over what you have written. Make sure you have covered all the points. Check your spelling, verb endings, tenses, word order, etc.

Timing

Spend approximately 20–25 minutes on this part. Of the two written tasks on your paper, this is the shortest and carries fewer marks (half the marks awarded to the 'Schriftliche Produktion').

When describing the picture/photo, it is useful to learn some phrases such as **Auf dem Bild/Foto sehe ich ... Im Vordergrund/ Hintergrund sieht man ...**

Exam question

The question on the following page is based on the **2017** comprehension passage **'Straßenkinderprojekt *KIDS* in Hamburg: nach 23 Jahren jetzt obdachlos?'**

Bearbeiten Sie (a) oder (b):

(a) **Protest**

Sehen Sie sich das Foto rechts an.

- Beschreiben Sie das Foto in **drei bis vier** Sätzen.
- In Ihrem Wohnort soll das Jugendzentrum geschlossen werden. Was machen **Sie** (**drei** Sätze)? Und **warum** machen Sie das?
- Straßenkinder gibt es in vielen Großstädten. Geben Sie **zwei** mögliche Gründe dafür an. Beschreiben Sie bitte die Situation in Irland in **zwei** Sätzen.

(100 Wörter)

Make **use of** the German that is given to you in the question, while making the necessary changes, as in the sample answer below: '*Das Jugendzentrum in* **meinem** *Wohnort soll geschlossen werden.*' This helps to get you started on a particular point.

Sample answer

Auf dem Foto sieht man viele Leute auf der Straße. Sie haben große Plakate und sie protestieren gegen die Gentrifizierung* in der Großstadt. Man liest auch „*KIDS muss bleiben*". Die Protestierenden wollen, dass die Anlaufstelle für die Straßenkinder am Bahnhof bleibt.

Das Jugendzentrum in meinem Wohnort soll geschlossen werden. Was mache ich? Ich protestiere! Zuerst rufe ich meine Freunde an und wir organisieren eine Aktion – *Unser Jugendzentrum muss bleiben*! Wir sammeln Unterschriften, um unsere Aktion zu unterstützen, und wir gehen auf die Straße und protestieren. Ich protestiere, weil das Jugendzentrum nötig ist. Junge Leute treffen sich dort nach der Schule und am Wochenende. Sie unterhalten sich oder spielen Badminton. Manchmal spielen dort auch Musikgruppen. Das Jugendzentrum ist ein wichtiger Treffpunkt für junge Leute.

Es gibt mehrere Gründe, warum es in vielen Großstädten Straßenkinder gibt. Armut und Vernachlässigung* sind die Hauptgründe. Wenn Familien arm sind und obdachlos werden, dann gehen die Kinder auf die Straße. Einige Kinder werden leider von ihrer Familie vernachlässigt und leben deshalb lieber auf der Straße. In Irland gibt es leider auch Straßenkinder, deren Familien obdachlos geworden sind. Viele Leute können oft die Miete nicht bezahlen und deshalb werden Kinder und ganze Familien obdachlos.

* Gentrifizierung *making the inner city more up-market*

* Vernachlässigung *neglect*

(b) Glück gehabt!

Sehen Sie sich das Foto rechts an.

- Beschreiben Sie das Foto in **drei bis vier** Sätzen.
- Was würden Sie machen, wenn Sie plötzlich viel Geld hätten? Beschreiben Sie Ihre Ideen in **vier** Sätzen.
- Täglich gibt es Millionen neuer Fotos im Internet zu sehen. Nennen Sie **zwei** Gründe, warum Menschen so gern fotografieren. Was halten Sie von Selfies? Geben Sie Ihre Meinung in **zwei** Sätzen.

(100 Wörter)

Sample answer

Das Foto zeigt fünf junge Leute, die sehr froh aussehen. Sie haben Glück gehabt. Wahrscheinlich haben sie etwas gewonnen und wollen feiern. Sie haben Luftballons und machen ein Selfie.

Wenn ich plötzlich viel Geld hätte, würde ich mich sicher freuen! Da ich dieses Jahr auf die Universität gehe, würde ich mein Studium selbst finanzieren und wäre nicht mehr auf meine Eltern angewiesen*. Ich möchte auch mit meinen Freunden in Urlaub fahren. Vielleicht würden wir nach Italien reisen, und ein neues Handy wäre auch toll!

Es stimmt, dass Menschen heute sehr gern fotografieren. Das wundert mich nicht. Erstens ist das Fotografieren heute so schnell und einfach. Man kann mit dem Handy tolle Fotos machen. Zweitens ist es viel billiger als früher. Früher musste man zum Fotografen gehen und die Filme entwickeln lassen. Das kostete viel Geld. Was ich von Selfies halte? Sie sind klasse! Ich mache gern Selfies mit meinen Freunden und das macht Spaß.

* auf ... angewiesen sein *to be dependent on*

Sample question 1

The following 'Äußerung zum Thema' question is based on the comprehension passage '**Balu und Du**' (pages 77–81).

Bearbeiten Sie (a) oder (b).

(a) **Freizeitbeschäftigung für Kinder**

Sehen Sie sich das Foto rechts an.

- Beschreiben Sie das Foto in **drei bis vier** Sätzen.
- Wie kann man Kindern nach der Schule helfen, ihre Freizeit zu gestalten? Geben Sie Beispiele an.
- Sollte es in Irland ein Programm wie *Balu und Du* geben? Begründen Sie Ihre Antwort mit **zwei** Argumenten.

(100 Wörter)

exam focus

It is useful to know that out of the **25 marks**, **13** are allotted to **content**. It is relatively easy to get **full marks** for content provided you cover the points and your comments are relevant.

Sample answer

Auf dem Foto sieht man ein kleines Kind und eine junge Frau. Das Kind ist vielleicht fünf oder sechs Jahre alt. Die junge Frau hilft dem Kind bei den Hausaufgaben. Das Kind lächelt und die Frau sieht freundlich aus.

Der Schultag ist ziemlich kurz und Grundschulkinder haben viel Freizeit. Es ist wichtig, dass Kinder ihre Freizeit sinnvoll gestalten. Man kann Kindern zeigen, wie wichtig es ist, ein Hobby zu haben. Sport ist ein tolles Hobby, das sehr gut für die Gesundheit ist. Viele Grundschulen bieten Kindern die Gelegenheit, nach der Schule Fußball oder Basketball zu spielen. Eltern und ältere Geschwister könnten den Kindern helfen, ein neues Hobby zu lernen, zum Beispiel Basteln, Tanzen oder Trampolinspringen. Kinder haben viele Möglichkeiten. Hauptsache ist, dass sie Spaß an ihrem Hobby haben.

Ja, ich finde das Projekt *Balu und Du* toll. In Irland gibt es die sogenannten *Homework Clubs*. Sie sind sehr gut. Aber *Balu und Du* hilft Kindern auch, ihre Freizeit zu genießen und Selbstvertrauen aufzubauen. Irische Kinder würden sicher auch davon profitieren. Einige Kinder haben Schwierigkeiten im Leben und brauchen Unterstützung außerhalb der Schulzeit. Eine neue Freundschaft mit einem Mentor würde ihnen bestimmt zugutekommen.

Oder:

(b) Handysucht bei Kindern

Sehen Sie sich das Foto rechts an.

- Beschreiben Sie das Foto in **drei bis vier** Sätzen.
- Verbringen Kinder heute zu viel Zeit an ihren Handys? Geben Sie Ihre Meinung in **vier** Sätzen wieder.
- Wie kann man Kinder von ihren Handys ablenken? Geben Sie **drei** Beispiele an.

(100 Wörter)

Sample answer

Auf dem Foto sieht man fünf Kinder, die auf ihre Handys schauen. Sie sehen sehr ernst aus und sprechen nicht miteinander. Sie konzentrieren sich nur auf die Handys. Sie schicken vielleicht eine SMS oder spielen ein Minispiel.

Ich glaube, dass Kinder zu viel Zeit an ihren Handys verbringen – kein Tag vergeht, an dem man nicht auf sein Handy schaut. Ich finde Handys einfach toll und sehr nützlich, aber man sollte auch andere Hobbys haben. Wenn man immer das Handy dabeihat, hat man weniger Zeit für andere Aktivitäten wie zum Beispiel Sport oder Lesen. Das Handy wird gewissermaßen zum „Freund" und man kann kaum noch ohne Handy leben. Es ist besser, an die frische Luft zu gehen, Freunde zu treffen und mit ihnen Spaß zu haben. Man sollte versuchen, den Tag sinnvoll zu planen. Das heißt, Zeit fürs Handy und Zeit für Hobbys und Freunde.

Man sollte Kindern Alternativen bieten. Viele Kinder finden Fußball sehr spannend. Sie finden es super, wenn sie zu einem Spiel gehen und ihre Lieblingsmannschaft gewinnt. Sie spielen vielleicht auch in ihrer Schule oder in ihrem örtlichen Klub. Kinofilme sind auch sehr populär. Es gibt mehrere Kinderfilme, die kleine Kinder begeistern, zum Beispiel *Der Löwenkönig* oder *Toy Story*. Lesen ist auch eine beliebte Alternative. Kinderbücher stehen immer ganz oben auf dem Wunschzettel zu Weihnachten.

Do not omit any point, no matter how little you feel you have to write about it. Marks are awarded for **each point covered**.

Sample question 2

The following 'Äußerung zum Thema' is based on the theme of '**Bedrohte Sprachen**' (pages 82–85), a text that deals with the decline of many minority languages.

Bearbeiten Sie (a) oder (b).

(a) **Minderheitensprachen**

- Geben Sie **drei** Gründe an, warum man eine Minderheitensprache bewahren sollte.
- Viele Minderheitensprachen sterben aus. Meinen Sie, dass Irisch auch aussterben könnte? Wie können wir das verhindern? Machen Sie **zwei** Vorschläge.
- Sollte Irisch in der Schule Pflichtfach sein? Was meinen Sie? Begründen Sie Ihre Antwort mit **zwei** oder **drei** Argumenten.

(100 Wörter)

Pay particular attention to the words in **bold**. They emphasise the importance of **content**. For example, in the case of the three bullet points in this task you are asked for **three** reasons, **two** suggestions, and **two** or **three** arguments, respectively.

Sample answer

Wenn eine Sprache ausstirbt, verliert man auch einen Teil der Kultur. Das ist traurig. Um die Kultur eines Volkes zu bewahren, braucht man eine lebende Sprache. Die Sprache ist auch ein Teil der Identität eines Volkes. Leute sind mit dieser Sprache aufgewachsen und sind stolz darauf.

Ich hoffe, dass Irisch nicht aussterben wird. Aber nur sehr wenige Iren sprechen Irisch fließend und deshalb könnte die Sprache leider aussterben. Um die Sprachkenntnisse zu fördern, könnten wir mehr Grundschulen haben, in denen Irisch die Hauptsprache im Unterricht ist, die so genannten „Gaelscoileanna". Eine zweite Möglichkeit ist das Fernsehen. Wir haben glücklicherweise einen irischsprachigen Fernsehsender, TG4, und der ist sehr populär. Noch mehr Leute sollten sich TG4 anschauen.

Vielleicht sollte Irisch nur in den Grundschulen Pflichtfach sein. Ich glaube, dass alle irischen Kinder die Sprache lernen sollten. Aber in den höheren Schulen sollte Irisch ein Wahlfach sein. Wenn man die Sprache freiwillig lernt, hat man mehr Interesse daran.

Vocabulary

aussterben *to die out*	stolz auf *proud of*
bewahren *to preserve*	

(b) Fremdsprachen

- Nennen Sie **drei** Gründe, warum man heutzutage eine Fremdsprache lernen sollte.
- Wie kann man am besten eine Fremdsprache lernen? Machen Sie **zwei** Vorschläge.
- „Englisch ist ein Muss, Deutsch ist ein Plus." Was meinen Sie dazu? Begründen Sie Ihre Antwort mit **zwei** Argumenten.

(100 Wörter)

In the following sample answer, note the use of the words '**erstens, zweitens, drittens**' followed by the verb. They are easy to use. They also clarify the **number** of points required and help you to form a logical answer.

Sample answer

Fremdsprachen sind aus mehreren Gründen wichtig. Erstens sind sie für das Studium sehr wichtig. Wenn man in Irland an der Universität studieren will, braucht man in den meisten Fällen eine Fremdsprache. Zweitens ist eine Fremdsprache im Ausland sehr nützlich. Man kann sich zum Beispiel mit Franzosen oder mit Deutschen unterhalten. Drittens sind die Berufschancen besser. Man kann eine Zeitlang im Ausland arbeiten, wenn man die Sprache des Landes beherrscht.

Viele Schüler machen einen Schüleraustausch. Das ist eine tolle Möglichkeit, die Sprache zu lernen. Man lebt eine Zeitlang in dem Land, wo man nur Muttersprachler hört. Wenn das nicht möglich ist, kann man fremdsprachige CDs und Filme bekommen, die sehr nützlich sind.

Diese Aussage stimmt. Englisch ist eine Weltsprache und wird in vielen internationalen Bereichen benutzt. Deshalb ist sie für viele Berufe unentbehrlich. Aber Deutsch ist die Muttersprache von über achtzig Millionen Menschen. Wenn man sich mit den Leuten unterhalten will oder die Kultur eines Landes richtig verstehen will, sind Sprachkenntnisse auf jeden Fall von Vorteil.

Vocabulary

aus mehreren Gründen *for several reasons*	beherrschen *to master*
in den meisten Fällen *in most cases*	unentbehrlich *essential*
sich unterhalten *to chat/converse*	

Sample question 3

This question is based on '**Junge Umweltschützer: Wir tun, was wir können.**' (pages 86–90).

Bearbeiten Sie (a) oder (b).

(a) **Umweltbewusste Menschen**
Sehen Sie sich das Foto rechts an.

- Beschreiben Sie das Foto in **vier** Sätzen.
- Warum werfen Leute manchmal Müll auf die Straße? Nennen Sie **zwei** Gründe. Wie kann man das verhindern? Machen Sie **zwei** Vorschläge.
- Wie umweltbewusst sind junge Iren Ihrer Meinung nach? Begründen Sie Ihre Meinung.

(100 Wörter)

Sample answer

Auf dem Foto sieht man zwei junge Frauen. Sie gehen zusammen joggen. Beide tragen ein T-Shirt, eine Laufhose, Laufschuhe und Plastik-Handschuhe. Sie haben beide eine Mülltüte und sammeln beim Joggen Müll auf. Man nennt das 'Ploggen'.

Leute werfen manchmal Müll auf die Straße, weil sie rücksichtslos sind. Sie denken einfach nicht an ihre Umwelt oder an die Leute, die später den Müll aufsammeln müssen. Manchmal tun sie das, weil es keine Mülleimer in der Nähe gibt und sie zu faul sind, einen zu suchen. Viele rauchende Autofahrer werfen ihre Kippen aus dem Fenster. Es ist ihnen völlig egal, dass sie die Straße verschmutzen. Wie kann man das verhindern? Man müsste strengere Gesetze und Strafen einführen. Außerdem sollte man mehr Beamte für die Müllentsorgung einstellen.

Ich glaube, dass junge Iren heute ziemlich umweltbewusst sind. Umweltorganisationen in Irland haben viele junge Mitglieder. Sie legen viel Wert auf die Umwelt und machen uns auf die Probleme aufmerksam. Man fördert zum Beispiel Windenergie und autofreie Stadtzentren. Meine Freunde und ich trennen immer unseren Abfall und recyceln alles Mögliche. Wir machen uns Sorgen um die Zukunft und unterstützen die Bemühungen, die globale Temperaturerhöhung zu begrenzen.

rücksichtslos *careless*
Müllentsorgung *waste disposal*

(b) Elektroautos

Sehen Sie sich das Foto rechts an.

- Beschreiben Sie das Foto in **drei** Sätzen.
- Elektroautos werden immer beliebter. Warum? Nennen Sie **drei** Vorteile.
- Die Zukunft gehört dem Elektroauto. Stimmt das? Begründen Sie Ihre Meinung mit **drei** Argumenten.

(100 Wörter)

Sample answer

Auf dem Foto sehe ich einen Parkplatz und mehrere Autos. Im Hintergrund gibt es ein großes Haus. Im Vordergrund sieht man eine Ladestation für elektrische Motoren und ein Elektro-Auto wird gerade aufgeladen.

Elektroautos werden immer beliebter, weil die Leute immer umweltbewusster werden. Die Autoabgase von Benzin- und Dieselautos verursachen große Umweltschäden. Elektroautos sind dagegen umweltfreundlich und auch relativ leise. Sie sind zudem kostengünstiger als Benzin. Man muss zwar die Batterie aufladen, aber die Batterie hat eine lange Lebensdauer.

Die Zukunft gehört dem Elektroauto. Ich glaube, das stimmt. Viele Autohersteller planen schon für diese Zukunft und werden in Zukunft nur noch Autos mit Elektromotoren produzieren. Vielleicht sind aber noch mehr Fortschritte nötig. Im Vergleich zu Benzinautos haben Elektroautos eine geringere Reichweite. Aber mit der Zeit wird das immer besser. In wenigen Jahren werden Elektroautos zum gewöhnlichen Straßenbild gehören.

eine geringere Reichweite *a shorter range*
Autohersteller *car manufacturers*
verursachen *to cause*
Umweltschäden *damage to the environment*

5 Written Production (*Schriftliche Produktion*)

- To help you to improve your writing skills.
- To prepare you for the two writing tasks – letter and opinion writing.

The **Written Production** section is worth 50 marks (12.5% of the total).

This section of the exam further tests your **writing skills** in German. You will already have written an 'Äußerung zum Thema' of approximately 100 words.

This task is longer (approximately **160 words**) and is awarded twice the amount of marks. You are given a **choice between two tasks**, one of which is a **letter**. The second task is sometimes a **response to a picture stimulus**.

In this part of the book you will find a lot of material to help you gain good marks for your writing. There are sample sentences on a wide range of topics, grouped under the relevant headings. These are written as suggested answers to questions in a letter and in the style of opinion writing. As many of the topics could arise in either written task, each topic is dealt with once only and the vocabulary given is relevant to both types of writing. Sample answers to both tasks from past exam papers are also included.

REMEMBER:

1. Choose your task wisely. Whether you choose the letter or the topic in the picture stimulus, make sure you choose the one where you can most confidently use the language needed to deal with it.

2. If you decide to do the letter, remember to have an appropriate beginning and ending.

3. Read the questions carefully and identify your task. Make sure to cover each topic area and each question within that topic area.

4. Keep your writing simple. If you find it difficult to get your point across in one complex sentence, try to break it down into two or three shorter sentences.

5. Leave some time to check over what you have written. Check grammar and spelling and make sure you have covered all the necessary points.

Timing

You should spend approximately 30 minutes on this section. If you follow the timing advice given in all sections of the written paper, you should have approximately 10 minutes to check your paper. Do not worry if you find you have exceeded the recommended time.

The advice with regard to timing in this book is only a guideline. The content of the examination varies from year to year.

Word order

In order to help you to write well and achieve a high degree of accuracy, it is important to master the basic rules of grammar and word order. The 'Angewandte Grammatik' section and the verb list will certainly help you. At this point, before you go through the various topics and sample answers, it is advisable to revise and become familiar with the rules of German word order. They are, as you know, quite different from English. The word order appears very complex but there are some basic rules to help you get it right.

- The verb is almost always the second element in a sentence. (The exception is in the case of some questions, e.g. 'Hast du einen Kuli?')

  Ich **spiele** nach der Schule Tennis.
  Nach der Schule **spiele** ich Tennis.
  Wenn ich nach der Schule Zeit habe, **spiele** ich Tennis.

In **all** three sentences the verb occupies the **second** position, not necessarily the second word.

- **Time ... Manner ... Place**

  In German, the sequence is **when** before **how** before **where**.
  Ich fahre **am Samstag mit dem Zug nach Dublin**.
  Wir gehen **jeden Tag zu Fuß zur Schule**.
  Nächstes Jahr werde ich **auf die Universität** gehen.

- In the **perfect** tense the auxiliary verb (part of 'haben' or 'sein') comes **second** and the **past participle** goes to the **end**.

  Ich **habe** meine Hausaufgaben **gemacht**.
  Wir **sind** nach Portugal **geflogen**.
  Meine Schwester **ist** gestern ins Kino **gegangen**.
  Mein Vater **hat** eine Stelle **bekommen**.

- In the **future** tense, the **conditional** tense and after **modal verbs**, the **infinitive** goes to the **end** of the sentence.

  (a) **Future:** Wir werden morgen nach Bonn **fahren**.
  Er wird einen Austausch **mitmachen**.
  (b) **Modal verb:** Ich kann heute nicht ins Theater **gehen**.
  Wir müssen für das Abitur **lernen**.
  (c) **Conditional:** Ich würde gern eine Weltreise **machen**.
  Sie würde lieber ein neues Auto **kaufen**.

- Certain **link words** or **conjunctions** send the verb to the **end** of the clause. The more frequently used ones should be learned.

als	*when/as*	dass	*that*	sobald	*as soon as*
als ob	*as if*	nachdem	*after*	solange	*as long as*
bevor/ehe	*before*	ob	*if/whether*	während	*while*
da	*as/since*	obwohl	*although*	weil	*because*
damit	*in order that*	so dass	*so that*	wenn	*if/whenever*

Ich muss dieses Jahr viel lernen, **weil** ich Abitur **mache**.
Ich hoffe, **dass** es nicht regnen **wird**.
Wir sind spazieren gegangen, **obwohl** es stark **geregnet hat**.
Wenn ich gute Noten **bekomme,** werde ich auf die Universität gehen.
Weißt du, **ob** Peter heute **kommt**?

The following conjunctions **do not** affect the word order: **und, aber, oder, denn, sondern.**

In order to maximise your marks you must be as accurate as possible.

GRAMMAR CHECKLIST

- Pay attention to word order.
- Know the gender of common nouns.
- Revise thoroughly the most frequently used verbs.
- Be sure to use the correct tenses.
- Make each verb agree with its subject.
- Take care with spelling.
- Remember to give each noun a capital letter.

Letter

This task is usually a reply to a German letter on your paper. The questions in the letter often relate to your personal pursuits or interests, aspects of current Irish life and your personal opinion on various topical issues. There is a wealth of relevant vocabulary under various headings in the **Oral Examination** section of this book. Here you will find more sample answers and helpful ideas on how to develop points on more complex issues.

Although you are familiar with the layout of a letter in German since the Junior Certificate, here is a brief reminder followed by suggestions for suitable opening and closing sentences.

Having an **appropriate beginning and ending is very important.**
These are an integral part of the letter-writing task and are awarded **specific marks.**

Cork, den 17. Juni 2017

Liebe Jasmin,

wie geht's? Vielen Dank für deinen Brief ...

....

....

....

Schöne Grüße an deine Familie.

Schreib bald wieder.

Deine Anne

- The **opening greetings** needed are:
  Liebe (feminine): Liebe Jasmin, ...
  Lieber (masculine): Lieber Jürgen, ...
  Liebe (plural): Liebe Eltern, ...
- The **opening sentence** will depend on what is written in the German letter, but could be one of the following:

Liebe/r...,
vielen Dank für deinen letzten Brief. *Thank you very much for your last letter.*

endlich habe ich Zeit, dir zu schreiben!	*At last I have time to write to you!*
entschuldige, dass ich nicht früher geschrieben habe.	*Sorry for not writing sooner.*
es tut mir leid, dass ich erst jetzt schreibe.	*I am sorry that I have not written until now.*
danke für deinen Brief, den ich heute bekommen habe.	*Thank you for your letter, which I received today.*
ich habe mich über deinen Brief gefreut.	*I was delighted with your letter.*
wie geht's dir? Hoffentlich gut.	*How are you? Well, I hope.*
prima, dass du nach Irland kommst.	*It's great that you are coming to Ireland.*

- Suitable **closing sentences** include the following:

Ich mache jetzt Schluss. Ich muss meine Hausaufgaben machen.	*I'll end now. I have to do my homework.*
Ich freue mich auf deinen nächsten Brief.	*I am looking forward to your next letter.*
Ich muss jetzt Schluss machen. Paul ist hier und wir wollen ins Kino.	*I'll have to end now. Paul is here and we are going to the cinema.*
Ich hoffe, dass ich deine Fragen gut beantwortet habe.	*I hope I have answered your questions well.*
Schreib bald wieder.	*Write back soon.*
Lass bald von dir hören.	*Let me hear from you soon.*
Erzähl mir alles!	*Tell me all.*
Meine Eltern lassen dich grüßen.	*My parents send their regards.*
Grüß deine Eltern von mir/Bestell schöne Grüße an deine Eltern.	*Give my regards to your parents.*
Viele liebe Grüße	*Very best wishes.*
Alles Gute!	*All the best!*
Bis bald	*Until soon.*
Bis dann	*Until then.*
Tschüss!	*Bye!*

- **Sign off** with:
  Dein (masculine)
  Deine (feminine)
  followed by your name.

- For a **formal letter or note**, use
  (a) as a greeting: Sehr geehrte Damen und Herren (*Dear Sir or Madam*)
  (b) formal pronouns: Sie, Ihr/Ihre, Ihnen (*you, your, to you*)
  (c) for closing: Mit freundlichen Grüßen (*Yours sincerely*)

Useful phrases

Here is a list of phrases to help you to express your opinion in **both** written tasks. You may find some more useful than others. **Select** those you think you might use. **Memorise** them and put them **into practice**. They can be used in a **variety** of topics.

Note: Many phrases contain '**dass**'. Remember it sends the verb to the **end** of the clause/sentence.

Ich finde es toll, dass ...	*I think it's great that ...*
Ich finde es schade, dass ...	*I think it's a pity that ...*
Ich finde es unvernünftig/empörend (usw.), dass ...	*I think it's unreasonable/outrageous (etc.) that ...*
Ich finde das ungerecht.	*I think that's unjust.*
Ich persönlich finde ...	*I personally think ...*
Das ist sinnvoll, finde ich.	*That is sensible, I think.*
Meiner Meinung nach ...	*In my opinion, ...*
Meiner Ansicht nach ...	*In my view, ...*
Für meine Begriffe ...	*In my opinion, ...*
Ich bin der Meinung, dass ...	*I am of the opinion that ...*
Ich glaube, dass ...	*I think that ...*
Ich glaube fest, dass ...	*I firmly believe that ...*
Ich glaube, das stimmt teilweise.	*I think that's partly true.*
Ich glaube, es liegt daran, dass ...	*I think the reason is ...*
Ich bezweifle, ob ...	*I doubt if ...*
Ich bin (nicht) überzeugt, dass ...	*I am (not) convinced that ...*
Ich bin (nicht) davon überzeugt.	*I am (not) convinced of that.*
Manche Experten meinen, dass ...	*Some experts think that ...*
einerseits	*on the one hand*
andererseits	*on the other hand*
Es wird oft behauptet, dass ...	*It is often stated that ...*
Es ist schwer zu glauben, aber ...	*It's hard to believe, however ...*
Man muss aber zugeben, dass ...	*One must admit, however, that ...*
Es lässt sich nicht leugnen, dass ...	*It cannot be denied that ...*
Tatsächlich aber ...	*In actual fact, however, ...*
In gewissem Maße ...	*To a certain extent ...*
Ich bin mit ... einverstanden.	*I agree with ...*
Es besteht die Gefahr, dass ...	*The danger exists that ...*
Um das Problem zu lösen, ...	*In order to solve the problem, ...*
Vor allem ...	*Primarily/above all ...*

Topics

The letter requires you to answer questions on different topics. The following examples will help you to approach possible questions. Remember to check the **Oral Examination** section for any vocabulary you may have forgotten.

As far as possible, try to give **equal** attention to each topic area. **Half** the marks are awarded to content, so an attempt to cover a topic is worth while, even if the language is poor. **If you ignore any topic you will not compensate by writing extensively on another one.**

Schule/Berufspläne (*School/career plans*)

Du hast geschrieben, dass du dieses Jahr deine Abschlussprüfung machst.	*You wrote that you are doing your final exam this year.*
Deine Schulzeit ist fast zu Ende!	*Your time in school is almost over!*
Wie findest du das?	*How do you feel about that?*
Ich mache erst nächstes Jahr Abitur.	*I am not doing the 'Abitur' until next year.*
Ich mache zwei Leistungskurse, Englisch und Deutsch.	*I'm doing higher level in two subjects, English and German.*
Hast du auch Leistungskurse?	*Are you also doing higher level courses?*
Gibt es viel Leistungsdruck in den Schulen?	*Is there much pressure to do well in schools?*

Meine Schulzeit ist fast zu Ende. Es ist kaum zu glauben!	*My time at secondary school is almost over. It is hard to believe.*
Wie die Zeit vergeht!	*How time flies!*
Ich werde natürlich meine Klassenkameraden vermissen.	*I will, of course, miss my classmates.*
Aber ich freue mich auf die Universität.	*But I'm looking forward to university.*
Ich mache das „Leaving Cert" in sieben Fächern.	*I am doing seven subjects in the Leaving Cert.*
Ich habe fünf Fächer als Leistungskurs.	*I'm doing higher level in five subjects.*
Ich habe Irisch und Mathe als Grundkurs, weil ich in diesen Fächern ziemlich schwach bin.	*I am doing ordinary level in Irish and Maths because I'm quite weak at these subjects.*

Ja, es gibt viel Leistungsdruck in den Schulen.	*Yes, there is a lot of pressure to do well at school.*
Ein guter Abschluss ist sehr wichtig für den zukünftigen Beruf.	*A good final exam is very important for one's future career.*
Einige Studienplätze sind sehr gefragt und man muss sehr viel pauken, um gute Noten zu bekommen.	*Some university places are very much in demand and you have to study hard to get good marks.*
Meiner Meinung nach legt man zu viel Wert auf die schriftlichen Prüfungen.	*In my opinion there is too much emphasis on the written exams.*
Viele Schüler werden um diese Zeit sehr ängstlich.	*Many pupils become very anxious at this time.*

Was willst du nach der Prüfung machen?	***What do you want to do after the exam?***
Wirst du nächstes Jahr von zu Hause ausziehen?	***Will you move out of home next year?***
Was machen die meisten jungen Iren nach dem „Leaving Cert"?	***What do most young Irish people do after the Leaving Cert?***

Ich habe mir bisher nicht viele Gedanken über meine Zukunft gemacht.	*I haven't given a lot of thought yet to my future.*
Ich muss mich bald entscheiden!	*I'll soon have to decide!*
Ich möchte vielleicht Journalismus studieren.	*I would like to study journalism, maybe.*
Ich habe mich für einen Studienplatz beworben.	*I've applied for a university place.*
Aber es kommt auf meine Noten an.	*But it depends on my marks.*
Ich werde wahrscheinlich von zu Hause ausziehen. Ich möchte selbständig sein.	*I will probably move out of home. I would like to be independent.*
Die meisten Schüler wollen sich nach der Schule weiterbilden.	*After school most pupils want to go on to further education.*
Viele gehen auf die Universität.	*Many go to university.*
Andere machen einen Ausbildungskurs oder eine Lehre.	*Others do a training course or an apprenticeship.*

In Deutschland gibt es den Numerus Clausus. Er regelt den Zugang zu bestimmten Studienfächern, zum Beispiel zu Medizin und Jura.

In Germany we have the 'Numerus Clausus'. It controls entry to certain faculties, such as medicine and law.

Wir bekommen im Abitur einen Notendurchschnitt.

We get an average mark in the 'Abitur'.

Wie ist es bei euch?

What's it like with you?

In Irland bekommt man Punkte im „Leaving Cert“.

In Ireland you get points in the Leaving Cert.

Je besser die Noten, desto höher die Punktzahl.

The better the marks, the higher the number of points.

Für bestimmte Studienfächer, zum Beispiel Medizin und Jura, braucht man eine hohe Punktzahl.

For certain faculties, for example medicine and law, you need a high number of points.

In Deutschland gibt es das BAföG. Das ist eine finanzielle Unterstützung für Studenten aus einkommensschwachen Familien. Habt ihr so was in Irland auch?

In Germany there is 'BAföG'. That is financial support for students from families with low incomes. Do you have something similar in Ireland?

Einkommensschwache Familien können vom Staat finanzielle Unterstützung bekommen.
Families with low incomes can get financial support from the state.

Einige Studenten nehmen einen Kredit bei der Bank auf und zahlen ihn nach dem Studium zurück, wenn sie berufstätig sind.
Some students get a loan from the bank and pay it back after their studies when they are in employment.

Was sind die beliebtesten Berufe?

What are the most popular careers?

Wie bekommt man Informationen über verschiedene Berufe?

How can you get information about different careers?

Junge Iren haben sehr unterschiedliche Berufswünsche.
The career preferences of young Irish people are very varied.

Viele Schüler interessieren sich für einen medizinischen Beruf, zum Beispiel Arzt oder Krankenpfleger.
Many pupils are interested in a medical career, for example, as a doctor or nurse.

Der Lehrerberuf ist in den letzten Jahren sehr populär geworden, hauptsächlich im Grundschulbereich.
The teaching career has become very popular in recent years, mainly in the primary school area.

Viele studieren Naturwissenschaften und wollen später in der Industrie arbeiten.
Many study Science and want to work in industry later.

Informatik ist sehr beliebt, weil sie gute Berufschancen bietet.
Information Technology is very popular, because it offers good career opportunities.

Sprachbegabte Schüler können Angewandte Sprachen studieren.
Those who are good at languages can study Applied Languages.

Sie werden vielleicht Übersetzer und haben später die Möglichkeit, im Ausland zu arbeiten.
They may become translators and will have the opportunity to work abroad later.

Ein Beruf in den Medien ist für viele junge Leute sehr attraktiv.
A career in the media is very attractive to many young people.

Einige möchten Journalisten oder Fernsehmoderatoren werden.
Some would like to become journalists or television presenters.

Das sind Traumberufe für viele junge Menschen.
They are dream careers for many young people.

Manchmal ist es schwer, eine Entscheidung zu treffen.
Sometimes it is hard to make a decision.

Wir haben in der Schule einen Berufsberater, der uns über verschiedene Studiengänge und Berufsmöglichkeiten informiert.
In school we have a Career Guidance Counsellor who gives us information on different study courses and career possibilities.

Die Universitäten organisieren auch einen Tag der offenen Tür.
The universities also organise an open day.

Dort kann man sich über zahlreiche Studiengänge informieren.
You can get information there about numerous courses.

Wenn man das Übergangsjahr macht, kann man ein Berufspraktikum machen. Das ist sehr nützlich und hilft später bei der Berufsentscheidung.
If you do Transition Year, you can do work experience. That is very useful and helps later with making a career decision.

Habt ihr eine Abschlussfeier gehabt? Wenn ja, erzähl mir davon!
Did you have a prize-giving day? If so, tell me about it!

Wir hatten gegen Ende Juni eine Abschlussfeier.
We had a prize-giving day towards the end of June.

Schüler haben Preise für verschiedene Leistungen bekommen, zum Beispiel für Sport oder Debattieren.
Students got awards for various achievements, for example, sport or debating.

Der Schulleiter/Die Schulleiterin hat eine Rede gehalten.
The principal gave a speech.

Abends ist die ganze Abschlussklasse in eine Disko gegangen.
In the evening the whole Sixth Year class went to a disco.

Wir haben viel Spaß gehabt.
We had great fun.

Freizeitbeschäftigung (*Leisure activities*)

Was sind die beliebtesten Freizeitaktivitäten in Irland?	***What are the most popular leisure activities in Ireland?***

In Irland sind Musikhören und Fernsehen sehr beliebt.	*Listening to music and watching television are very popular in Ireland.*
Viele junge Iren spielen ein Instrument.	*Many young Irish people play an instrument.*
Ich spiele Klavier, aber ich habe dieses Jahr wenig Zeit zu üben.	*I play the piano but I don't have much time to practise this year.*
Junge Leute lesen weniger als früher.	*Young people read less than before.*
Sie verbringen viel Zeit am Computer.	*They spend a lot of time on the computer.*
Aber die Harry-Potter-Bücher haben neues Interesse am Lesen geweckt.	*But the* Harry Potter *books have awoken a new interest in reading.*

Bei uns sind die beliebtesten Sportarten Fußball und Schwimmen. Weniger populär sind Angeln, Golf und Wandern. Für welche Sportarten interessieren sich junge Iren?	***The most popular sports here are football and swimming. Fishing, golf and hill-walking are less popular. What sports are young Irish people interested in?***

Mannschaftssportarten sind bei uns sehr populär, insbesondere Fußball.	*Team sports are very popular here, especially football.*
Viele irische Jugendliche haben eine Lieblingsmannschaft oder einen Fußballspieler, den sie bewundern.	*Many young Irish people have a favourite team or a footballer whom they admire.*
Tennis und Schwimmen sind auch sehr beliebt. Ich bin in einem Tennisverein und nehme oft an Wettbewerben oder an Turnieren teil.	*Tennis and swimming are also very popular. I'm in a tennis club and I often take part in competitions or tournaments.*
Jungen spielen sehr gern Fußball und immer mehr Mädchen tun das auch gern.	*Boys love playing football and more and more girls also like playing it.*
Golf und Angeln sind ziemlich populär.	*Golf and fishing are quite popular.*
Mein Bruder ist ein begeisterter Golffan.	*My brother is an avid golf fan.*

Wir haben viele Sportvereine in Deutschland und über 5,000 Fitnesscenter! Wie ist das in Irland?

We have a lot of sports clubs in Germany and over 5,000 fitness centres/gyms. What's it like in Ireland?

Wir haben auch viele Sportvereine und Fitnesscenter in Irland.
We also have a lot of sports clubs and fitness centres/gyms in Ireland.

Ich glaube, es liegt daran, dass die Leute sich heutzutage weniger bewegen.
I think the reason is that people don't move as much nowadays.

Sie fahren meistens mit dem Auto zur Arbeit und sitzen vor dem Computer.
They mostly travel by car to work and sit in front of the computer.

Viele haben Übergewicht.
Many are overweight.

In Irland hört und liest man viel über das Problem der Fettleibigkeit.
In Ireland we hear and read a lot about the problem of obesity.

Die Leute sind um ihre Gesundheit besorgt, daher nimmt die Zahl der Fitnesscenter zu.
People are worried about their health, therefore the number of gyms is increasing.

Du hast geschrieben, dass du im U2-Konzert warst. Das muss toll gewesen sein! Schreib mir was darüber!

You wrote that you were at the U2 concert. That must have been great! Write to me about it.

Ich war letzten Sommer mit zwei Freunden im U2-Konzert. Es hat im Croke Park in Dublin stattgefunden.
I was at the U2 concert last summer with two friends. It took place in Croke Park in Dublin.

Es war einfach toll.
It was simply great.

Wir hatten echt Glück, Karten zu bekommen. Sie waren so schnell ausverkauft!
We were actually lucky to get tickets. They were sold out so quickly.

Die Musik und die Stimmung waren fantastisch.
The music and the atmosphere were fantastic.

Es hat im Freien stattgefunden und zum Glück hat es nicht geregnet.
It took place in the open air and luckily it didn't rain.

Nebenjobs (*Part-time jobs*)

In Deutschland arbeiten viele Schüler nebenbei. Wie ist das in Irland?	***In Germany a lot of pupils work part-time. What's it like in Ireland?***
Was für Jobs machen sie?	***What types of jobs do they do?***
Was meinen die Eltern dazu?	***What do the parents think?***

In Irland arbeiten auch viele Schüler nebenbei.	*In Ireland many pupils also work part-time.*
Sie nutzen die Wochenenden und die Ferien dazu, ihr Taschengeld aufzubessern.	*They use the weekends and the holidays to improve their pocket money.*
Sie arbeiten meistens in Restaurants, Supermärkten und Geschäften.	*They mostly work in restaurants, supermarkets and shops.*
Es ist auf keinen Fall leicht, zur Schule zu gehen und gleichzeitig nebenbei zu arbeiten.	*It is certainly not easy to go to school and to work part-time at the same time.*
Viele Eltern ärgern sich darüber.	*Many parents are annoyed about it.*

Sie meinen, dass ihre Kinder die Hausaufgaben vernachlässigen.	*They think their children are neglecting their homework.*
Andere sind froh, dass ihre Kinder ihnen nicht immer auf der Tasche liegen!	*Others are pleased that their children are not always dependent on them financially!*
Ich persönlich finde es besser, während des Schuljahres nicht zu arbeiten.	*I personally think it's better not to work during the school year.*
Man sollte sich eher auf die Prüfungen konzentrieren.	*It's better to concentrate on the exams.*
Wir haben lange Sommerferien und können diese Zeit nutzen, um Geld zu verdienen.	*We have long summer holidays and can use this time to earn money.*
Ich hoffe, in den kommenden Sommerferien einen Nebenjob zu finden.	*I hope to find a job in the coming summer holidays.*
Meine Freunde und ich wollen im August in Urlaub fahren.	*My friends and I want to go on holiday in August.*
Ich werde viel Geld brauchen!	*I will need a lot of money!*

Tourismus (*Tourism*)

Meine Eltern haben vor, diesen Sommer zwei Wochen in Irland zu verbringen.	***My parents intend to spend two weeks in Ireland this summer.***
Was würdest du ihnen empfehlen?	***What would you recommend to them?***
Gibt es gute Museen oder Kunstausstellungen?	***Are there good museums or art exhibitions?***

Ich finde es toll, dass deine Eltern nach Irland kommen wollen.	*I think it's great that your parents want to come to Ireland.*
Sie sollten auf jeden Fall die Hauptstadt Dublin besichtigen.	*They should certainly visit the capital city, Dublin.*
Dort befinden sich die Nationalgalerie und interessante Museen.	*There they will find the National Gallery of Ireland and interesting museums.*
Es lohnt sich auch, das berühmte Book of Kells im Trinity College anzuschauen.	*It's also worth seeing the famous Book of Kells in Trinity College.*
In der Hauptstraße, der O'Connell Street, sieht man den „Spire", das Wahrzeichen Dublins.	*On the main street, on O'Connell Street, you can see the 'Spire', Dublin's landmark.*

Für meine Begriffe ist es hässlich! Aber das ist Geschmacksache.	*In my opinion it's horrible! But that's a matter of taste.*
Es gibt auch schöne, belebte Einkaufsstraßen.	*There are also lovely, lively shopping streets.*
Man kann auch eine Stadtrundfahrt mit dem Bus machen. Dabei bekommt man einen guten Überblick über die Sehenswürdigkeiten.	*You can also do a sightseeing tour of the city by bus. That way you get a good overview of the tourist sights.*

Meine Eltern möchten auch die schöne irische Landschaft sehen.	***My parents would also like to see the beautiful Irish countryside.***
Was ist deiner Meinung nach besonders sehenswert?	***What is particularly worth seeing in your opinion?***
Irland wird oft die Grüne Insel genannt.	***Ireland is often called the Emerald Isle.***
Ist die Insel wirklich so grün?	***Is the island really that green?***

Was die Landschaft betrifft, würde ich besonders West- und Südwestirland empfehlen.	*As far as the countryside is concerned, I would particularly recommend the west and south-west of Ireland.*
Dort ist die Landschaft am herrlichsten und die Natur relativ unberührt.	*The countryside is the most stunning there and nature relatively unspoilt.*
In Westirland gibt es auch viele Kneipen, in denen man traditionelle irische Musik hören kann.	*In the west of Ireland there are also a lot of pubs where you can hear traditional Irish music.*

Irland – die Grüne Insel? Die Bezeichnung stimmt teilweise.	*Ireland – the Emerald Isle? The description is partly true.*
Es regnet viel in Irland und das macht die Insel grün.	*It rains a lot in Ireland and that makes the island green.*
Aber in den letzten Jahren ist viel gebaut worden und man sieht deshalb weniger von dem Grün.	*In recent years, however, there has been a lot of building and consequently you see less green.*

Ich habe gehört, dass Irland sehr teuer sein soll. Stimmt das tatsächlich?	***I heard that Ireland is supposed to be very expensive. Is that actually true?***
Würdest du ein Hotel oder eine Frühstückspension empfehlen?	***Would you recommend a hotel or a Bed and Breakfast?***

Ja, Irland ist in den letzten Jahren sehr teuer geworden.	*Yes, Ireland has become very expensive in recent years.*
Man kann aber trotzdem gute Restaurants finden, wo man preiswert essen kann.	*But you can still find good restaurants where you can eat inexpensively.*

Ich würde eine Frühstückspension empfehlen. *I would recommend a Bed and Breakfast.*
Es gibt viele gute Pensionen hier. *There are many good guest houses here.*
Sie sind billiger als Hotels und werden normalerweise von gastfreundlichen Familien geführt. *They are cheaper than hotels and they are normally run by hospitable families.*

Wie wichtig ist eigentlich der Tourismus für Irland? ***How important is tourism actually for Ireland?***

Der Tourismus ist eine sehr wichtige Industrie, von der die irische Wirtschaft profitiert. *Tourism is a very important industry and the Irish economy profits from it.*
Für viele Ausländer ist Irland ein sehr beliebtes Reiseziel (trotz des unzuverlässigen Wetters!). *For many foreigners Ireland is a very popular travel destination (despite the unreliable weather!).*

Die Küste von Antrim ist herrlich und bietet viele Möglichkeiten. *The Antrim coast is magnificent and offers lots to do.*
Manchmal kommen auch Leute hierher, um Golf zu spielen, denn wir haben schöne Golfplätze. *Sometimes people also come here to play golf as we have lovely golf courses.*
Für begeisterte Angler haben wir auch schöne Flüsse und Seen. *For enthusiastic fishermen we also have beautiful rivers and lakes.*

Das neue Irland (*The new Ireland*)

Wie hat sich Irland in den letzten Jahren verändert?	***How has Ireland changed in recent years?***
Irland hat sich in den letzten Jahren sehr verändert.	*Ireland has changed a lot in recent years.*
Früher war Irland sehr arm.	*Ireland used to be very poor.*
Viele Iren mussten in den sechziger, siebziger und sogar in den achtziger Jahren auswandern.	*Many Irish people had to emigrate in the sixties, seventies and even in the eighties.*
Viele Studenten fanden nach dem Studium keine passende Arbeitsstelle und mussten oft im Ausland Arbeit suchen.	*Many students did not find suitable employment after their studies and often had to seek work abroad.*
In den neunziger Jahren wurde Irland reicher.	*In the nineties Ireland became richer.*
Die Wirtschaft war voll in Schwung.	*The economy was going very well.*
Viele Einwanderer kamen nach Irland.	*Many immigrants came to Ireland.*
Viele kamen aus wirtschaftlichen Gründen.	*Many came for economic reasons.*
Sie wollten sich hier niederlassen und arbeiten.	*They wanted to settle and work here.*
Sie wollten einen besseren Lebensstandard genießen.	*They wanted to enjoy a better standard of living.*
Andere sind vor Verfolgung in ihrem eigenen Land geflohen.	*Others fled from persecution in their own country.*
Ich finde es schön, dass Irland so multikulturell geworden ist.	*I think it's lovely that Ireland has become so multicultural.*

Hat der Reichtum der letzten Jahrzehnte Probleme mit sich gebracht?	***Has the wealth of recent decades brought problems?***
Es lässt sich nicht leugnen, dass die irische Gesellschaft heute wohlhabender ist.	*It cannot be denied that Irish society is better off today.*
Aber das Land wurde von der globalen Rezession getroffen.	*But the country was affected by the global recession.*
Die irische Wirtschaft hat einen Rückgang erlebt.	*The Irish economy has suffered a downturn.*
Viele Leute sind arbeitslos geworden.	*Many people have become unemployed.*
Sie sind auf Arbeitslosengeld angewiesen.	*They are dependent on unemployment benefit.*
Viele junge Iren müssen auswandern, um eine Stelle zu finden.	*Many young Irish people have to emigrate to find a job.*
Viele Familien finden es schwer, ihren Lebensunterhalt zu verdienen.	*Many families find it difficult to earn a living.*

Es es gibt auch Armut in Irland.	*There is also poverty in Ireland.*
Es ist schwer zu glauben, aber wir haben noch Obdachlose in unserer Gesellschaft.	*It is hard to believe but we still have homeless people in our society.*
Obdachlosigkeit ist ein großes Problem in den Großstädten, da die Unterkunft dort sehr teuer ist.	*Homelessness is a big problem in the cities as accommodation is very expensive there.*
Viele Menschen können ihre Miete oder ihre Hypothek nicht mehr bezahlen.	*Many people cannot pay their rent or their mortgage any more.*
Es gibt nicht genug passende Wohnungen.	*There is not enough suitable accommodation.*
Um das Problem zu lösen, muss man mehr bezahlbare Wohnungen bauen.	*To solve the problem, more affordable accommodation must be built.*
Wohltätigkeitsorganisationen verlangen nach staatlichen Maßnahmen, zum Beispiel höheren Mietbeihilfen.	*Charity organisations are calling for state measures, for example higher rental aid/support.*
Für die Behinderten in unserer Gesellschaft ist das Leben auch nicht leicht.	*Life is also not easy for the disabled in our society.*
Meiner Meinung nach wird nicht genug für Behinderte getan.	*In my opinion there is not enough being done for disabled people.*
In öffentlichen Gebäuden werden ebenso wie in Schulen mehr Fahrstühle und Rampen für Rollstühle gebraucht.	*In public buildings as well as in schools we need more lifts and ramps for wheelchairs.*
Behinderte haben ein Recht auf gute Bildung und gute Berufsmöglichkeiten.	*Disabled people have a right to a good education and good career opportunities.*
Kinderbetreuung ist ein Problem für berufstätige Eltern.	*Childcare is a problem for working parents.*
Wir haben nicht genug Kindertagesstätten.	*We don't have enough crèches/day care centres.*
Wir haben mehr Verkehrsprobleme, mehr Staus.	*We have more traffic problems, more congestion.*
Viele Arbeiter müssen jeden Tag eine lange Strecke zur Arbeit fahren.	*Many workers have to travel a long distance to work every day.*

Wie sieht die Zukunft für junge Iren aus?	***How does the future look for young Irish people?***
Wie siehst du deine Zukunft?	***How do you see your future?***
Möchtest du in Irland bleiben oder im Ausland arbeiten?	***Would you like to stay in Ireland or work abroad?***

Einerseits sieht die Zukunft sehr gut aus. *On the one hand the future looks good.*
Wir haben ein gutes Bildungsniveau. *We have a good standard of education.*
Viele junge Iren haben eine gute Hochschulbildung. *Many young Irish people have a good university education.*
Deswegen sollten sie gute Berufschancen haben. *So they should have good career opportunities.*

Andererseits müssen viele auswandern, um eine gute Stelle zu finden. *On the other hand, many have to emigrate to find a good job.*

Ich weiß noch nicht genau. *I don't know exactly yet.*
Wenn die Wirtschaftslage gut ist, werde ich in Irland bleiben. *If the economic situation is good, I will stay in Ireland.*
Es kommt auf meine Berufsaussichten an. *It depends on my career prospects.*
Vielleicht werde ich eine Zeitlang im Ausland verbringen. *I might spend some time abroad.*

Irland wurde einst das Land der hunderttausend Willkommen genannt. Stimmt das heute noch? ***Ireland was once called the land of the hundred thousand welcomes. Is that still true today?***

Ich bezweifle, ob das heute noch ganz stimmt. *I doubt if that is quite true today.*
Es gibt leider auch Ausländerfeindlichkeit, sogar Rassismus. *Unfortunately, there is some hostility towards foreigners, even racism.*
Es gibt manchmal Vorurteile gegenüber ethnischen Minderheiten. *There are sometimes prejudices against ethnic minorities.*
Aber die meisten Iren sind gastfreundlich. *But most Irish are hospitable.*
Sie wollen ein friedliches Zusammenleben aller Menschen. *They want all people to live peacefully together.*
Ich finde es wichtig, dass wir uns über andere Kulturen besser informieren. *I think it's important that we are better informed about other cultures.*
Niemand sollte Rassismus dulden. *Nobody should tolerate racism.*

Soziale Probleme (*Social problems*)

Ich habe gelesen, dass Irland ein allgemeines Rauchverbot in allen öffentlichen Gebäuden, Restaurants und Kneipen eingeführt hat. Wie findest du das?	***I read that Ireland has introduced a general ban on smoking in all public buildings, restaurants and pubs. What do you think of that?***
In Deutschland rauchen immer noch viele Leute trotz des Gesundheitsrisikos. Wie ist das in Irland?	***In Germany many people still smoke despite the health risk. What's it like in Ireland?***

Ich bin für das Rauchverbot.	*I agree with the smoking ban.*
Für Nichtraucher bestand immer die Gefahr des Passivrauchens.	*For non-smokers there was always the danger of passive smoking.*
Jetzt können sie rauchfreie Luft in der Kneipe genießen.	*Now they can enjoy a smoke-free atmosphere in the pub.*
Ich glaube, die meisten Iren sind mit dem Rauchverbot zufrieden.	*I think most Irish people are satisfied with the smoking ban.*
Man gewöhnt sich daran!	*You get used to it!*
Mehr Leute haben sich inzwischen bemüht, mit dem Rauchen aufzuhören.	*Meanwhile, more people have tried to stop smoking.*

Die Experten meinen, das Lungenkrebsrisiko sei hier jetzt geringer.	*The experts think that the risk of lung cancer here is now reduced.*
Ich rauche nicht, hauptsächlich weil es ungesund ist.	*I don't smoke, mainly because it is unhealthy.*
Ich habe aber viele Freunde, die rauchen.	*However, I have many friends who smoke.*
Viele irische Jugendliche rauchen, wenn sie unter Stress stehen und sich entspannen wollen.	*Many young Irish people smoke when they are stressed and want to unwind.*
Für viele ist es einfach eine Gewohnheit.	*For many it is simply a habit.*
Leider ist es für viele eine Sucht geworden.	*Unfortunately, for many it has become an addiction.*

Trinken viele junge Iren? — *Do many young Irish people drink?*

Ja, wie anderswo in der Welt scheint Alkohol in Irland eine wichtige Rolle zu spielen, besonders bei Jugendlichen.	*Yes, as elsewhere in the world, alcohol seems to play an important part in Ireland, especially among young people.*
Meiner Meinung nach trinken mehr junge Leute als früher.	*In my opinion more young people are drinking than before.*
Ich glaube, es liegt daran, dass sie mehr Geld haben.	*I think it's because they have more money.*
Viele junge Leute haben Nebenjobs und gehen öfter in die Kneipe.	*Many young people have part-time jobs and go to the pub more often.*
An Wochenenden ist es am schlimmsten.	*It's worst at weekends.*
Der Alkoholmissbrauch führt manchmal zu Schlägereien auf der Straße.	*The abuse of alcohol sometimes leads to fights/brawls on the street.*
Manche Leute machen auch eine Sauftour.	*Some people also go on a drinking binge/ pub crawl.*
Sie betrinken sich und haben am nächsten Tag einen Kater.	*They get drunk and have a hangover the next day.*
Es besteht auch die Gefahr, dass man unter Alkoholeinfluss Auto fährt.	*There is also the danger that one will drive under the influence of alcohol.*
Alkohol am Steuer ist ein großes Problem.	*Drink-driving is a big problem.*
Er verursacht viele Autounfälle.	*It causes a lot of car accidents.*
Das Problem wird zur Zeit sehr viel diskutiert.	*There is currently a lot of discussion about the problem.*
Man versucht, junge Leute vor den Gefahren des Alkoholmissbrauchs zu warnen.	*There is an attempt to warn young people about the dangers of alcohol abuse.*

Nach einer neueren Untersuchung nehmen mehrere tausend Jugendliche in Deutschland gelegentlich oder sogar regelmäßig Ecstasy. Leider nehmen auch viele Leute harte Drogen wie Kokain und Heroin. Wie ist die Situation in Irland?	***According to a recent survey, several thousand young people in Germany occasionally or even regularly take ecstasy. Unfortunately, many also take hard drugs like cocaine and heroin. What is the situation in Ireland?***
In Irland gibt es auch ein Drogenproblem.	*There is also a drug problem in Ireland.*
Oft beginnen junge Leute mit Drogen zu experimentieren, weil sie neugierig sind.	*Young people often begin to experiment with drugs because they are curious.*
Manchmal fühlen sie sich von Freunden unter Druck gesetzt.	*Sometimes they feel under pressure from friends.*
Häufig werden sie dann abhängig.	*Quite often they become dependent.*
Ich glaube, dass viele Leute die Gefahren der Ecstasy-Pillen unterschätzen.	*I think that many people underestimate the dangers of the Ecstasy tablet.*
Junge Leute sollten die Nebenwirkungen dieser Droge kennen.	*Young people should know the side effects of this drug.*
Sie könnte sogar eine Einstiegsdroge für harte Drogen sein.	*It could actually be a starter drug for hard drugs.*
Mir tun Heroinsüchtige besonders leid.	*I feel particularly sorry for heroin addicts.*
Sie finden es furchtbar schwer, mit der Droge aufzuhören.	*They find it awfully difficult to come off the drug.*
Junge Leute sollten über die Gesundheitsrisiken und Langzeitfolgen aller Drogen besser informiert sein.	*Young people should be better informed about the health risks and long-term consequences of all drugs.*

Wir machen uns Sorgen um die zunehmende Gewalttätigkeit in unserer Gesellschaft. Die Zahl der Verbrechen nimmt zu. Wir haben mehr Wohnungseinbrüche und Autodiebstähle. Habt ihr auch solche Probleme?	***We are worried about the increasing violence in our society. The number of crimes is increasing. We have more burglaries and car thefts. Do you also have such problems?***
Wir haben natürlich auch solche Probleme, wie jede Gesellschaft.	*We certainly do have such problems, like every society.*
In den Großstädten sind die Probleme besonders gravierend.	*The problems are particularly serious in the cities.*
Man hört Berichte von Wohnungseinbrüchen, Körperverletzung, Raubüberfällen, Autodiebstählen und dem so genannten „Joyriding".	*We hear reports about burglaries, physical injury, robberies, car thefts and so-called 'joyriding'.*
Ich bin der Meinung, dass die Kriminalität zunimmt.	*I'm of the opinion that criminality is on the increase.*
Sogar in den Schulen wird von Mobbing und Erpressung berichtet.	*Even in schools there are reports of bullying and extortion.*

Past exam questions: Letters

2015

Your German pen friend, Leo(nie), has written to you. Reply in German to the letter, giving detailed answers to the four topic areas he/she has asked about, expressing your personal opinion. (Write approximately 160 words.)

Leipzig, den 30. März 2015

Liebe(r) ...,

stell dir vor, seit vier Wochen haben wir einen Sprachassistenten für Englisch. 22, gutaussehend und unheimlich nett. Alle Mädchen schwärmen für ihn, und die Jungen finden ihn cool. Er arbeitet mit unserer Lehrerin zusammen und hilft im Englischunterricht. Wie könnte ein Assistent/eine Assistentin euch in Irland beim Deutschlernen helfen? Was könnte man tun, um sie oder ihn willkommen zu heißen? Wenn du die Wahl hättest, was wäre dir lieber, eine junge Person aus Deutschland, Österreich oder aus der Schweiz? Warum?

Ich finde es immer noch super, dass Deutschland letztes Jahr Fußball-Weltmeister wurde! Was habt ihr im Deutschunterricht gemacht, um die Weltmeisterschaft zu feiern? Viele unserer Nationalspieler unterstützen soziale Projekte hier und in anderen Ländern. Unser Ex-Kapitän Philipp Lahm organisiert *Sommercamps* für Kinder, um sie für Sport und Bildung zu begeistern. Welche Sommercamps gibt es bei euch? Unsere Frauenfußballmannschaft ist zweifacher Weltmeister. Was für eine Rolle spielt Frauenfußball in Irland? Manche Leute denken, es sollte getrennte Sportarten für Männer und Frauen geben. Was ist deine Meinung dazu?

Heute habe ich einen Sack mit Klamotten gepackt, die ich nicht mehr mag und schon lange nicht mehr trage. Morgen gibt es eine Klamotten-Tausch-Party auf dem Schlossplatz. Da kann ich meine ungeliebten Klamotten gegen „neue" Second-Hand-Stücke eintauschen. Was hältst du von solchen Aktionen? Man kann ja auch Tauschpartys mit Freunden organisieren oder *online* Kleider tauschen wie auf *kleiderkreisel.de* – würdest du so was machen? Und warum? Welche anderen Sachen werden in Irland getauscht?

Mein Freund Lukas hat mir gestern gesagt, dass er nach dem Abitur in Wien studieren will. In Wien! So weit weg!! Was sagst du dazu? Möchtest du im Ausland studieren? Warum oder warum nicht? Wie würdest du dich fühlen, wenn dein Freund/deine Freundin ohne dich ins Ausland gehen und dich alleine lassen würde?

Wieder habe ich so viele Fragen! Ich hoffe, ich nerve dich nicht!

Bis bald!

Dein(e) Leo(nie)

Sample answer 1

Dublin, den 20. April 2015

Liebe Leonie,

vielen Dank für deinen letzten Brief. Es ist immer schön, von dir zu hören. Du hast mich gefragt, wie ein Assistent/eine Assistentin uns in Irland helfen könnte. Meiner Meinung nach wäre das einfach toll. Die Schule hatte tatsächlich vor fünf Jahren eine deutsche Assistentin. Ich war damals aber noch auf der Grundschule. Ein Assistent oder eine Assistentin könnte uns sicher helfen, etwa beim Sprechen. Wir könnten auch etwas über die andere Kultur lernen. Um sie oder ihn willkommen zu heißen, könnten wir am Anfang des Jahres eine Party organisieren. Wir könnten ein typisch irisches Gericht kochen. Man könnte sie oder ihn auf einer Stadtrundfahrt begleiten. Wenn ich die Wahl hätte, würde ich mich für eine Person aus Österreich entscheiden. Wir lernen viel über Deutschland im Unterricht, aber manchmal vergessen wir, dass Deutsch auch in anderen Ländern gesprochen wird. Österreich ist auch ein schönes Land.

Ja, Deutschland hat die Fußballmeisterschaft gewonnen. Wir haben das leider nicht gefeiert, nur kurz darüber im Deutschunterricht gesprochen. Bei uns gibt es auch Sommercamps und Sport ist sehr populär. Es gibt Sommercamps für Soccer, Rugby und Hurling. Für Kinder, die nicht sportlich sind, gibt es andere Sommercamps, zum Beispiel fürs Theaterspielen und Kochen. Frauenfußball ist in den letzten Jahren in Irland sehr beliebt geworden. Es ist erstaunlich, wie viele Frauen jetzt regelmäßig Fußball spielen. Unsere Nationalmannschaft hat auch viel Erfolg gehabt. Ich finde, dass getrennte Sportarten für Männer und Frauen eine schlechte Idee sind. Frauen spielen Fußball, Rugby, Golf und vieles mehr und haben bewiesen, dass sie ebenso geschickt sind wie Männer. Auch im Bereich Boxen haben wir ausgezeichnete Frauen.

Eine Klamotten-Tausch-Party ist eine tolle Idee. Ich würde sicher so was mitmachen. Alte Klamotten, die man nicht mehr trägt, die aber noch in gutem Zustand sind, sollte man nicht einfach wegwerfen. Das ist reine Verschwendung. Wenn man Klamotten tauscht, spart man auch Geld. In Irland werden auch Schmuckstücke und Möbelstücke getauscht.

Studieren im Ausland? Das klingt spannend. Ich würde aber lieber in Irland studieren und während des Studiums ein Erasmus-Jahr im Ausland verbringen. Ich finde das viel besser. Dann ist man älter und (hoffentlich!) reifer. Man würde mehr davon profitieren. Es würde mich nicht besonders stören, wenn mein Freund ohne mich ins Ausland ginge. Ich könnte ihn vielleicht besuchen! Man muss sowieso immer neue Freundschaften schließen.

Nein, du nervst mich nicht! Ich finde es immer interessant, mich mit dir auszutauschen. Ich freue mich schon wieder auf deinen nächsten Brief.

Bis bald!

Deine Siobhán

Sample answer 2

Balbriggan, den 18. April 2015

Lieber Leo,

danke für deinen letzten Brief. Schon wieder so viele Fragen! Aber es freut mich immer, deine Fragen zu beantworten.

Wir hatten auch letztes Jahr einen deutschen Assistenten. Er hieß Karl und war super. Er hat uns beim Deutschlernen geholfen. Ich finde es eine sehr gute Idee, einen Assistenten oder eine Assistentin zu haben. Mein gesprochenes Deutsch ist leider nicht so gut. Ich war nie in Deutschland. Karl hat mit mir viel Deutsch gesprochen, und zwar über interessante Themen wie Fußball und deutsche Musik. Es ist natürlich wichtig, den Assistenten/die Assistentin willkommen zu heißen. Karl hat sich für Fußball begeistert. Also haben ihn meine Freunde und ich zu unserem örtlichen Fußballklub eingeladen. Das hat Spaß gemacht. Unsere Deutschlehrerin hat in der Schule auch eine Sprachwoche organisiert, wo Karl die Gelegenheit hatte, mit Lehrern und Schülern über seinen Wohnort zu sprechen. Karl kommt aus Deutschland, aber es ist mir egal, ob die Assistenten aus Deutschland, Österreich oder der Schweiz kommen. Hauptsache, sie sprechen Deutsch als Muttersprache.

Ja, ich war froh, dass Deutschland die Weltmeisterschaft gewonnen hat. Wie du weißt, schwärme ich für Fußball, und die deutsche Mannschaft hat tolle Spieler. Nach dem Sieg haben wir im Deutschunterricht den deutschen Film *Das Wunder von Bern* angeguckt. Du weißt wahrscheinlich, dass es bei dem Film um Fußball geht! Er war sehr spannend. Wir haben auch in Irland Sommercamps. Die meisten sind sportlich ausgerichtet – Fußball, Rugby und gälischer Fußball. Sie sind sehr beliebt und viele Grundschüler und Sekundarschüler machen mit. Meine kleine Schwester geht zu einem Tanz- und Musiksommercamp. Das macht auch viel Spaß. Frauenfußball ist sehr populär im Moment. Wir haben viele Frauenklubs in Irland und sie werden mit der Zeit immer erfolgreicher. Ob es getrennte Sportarten für Männer und Frauen geben sollte? Ich glaube nicht. Bei den Olympischen Spielen nehmen Männer und Frauen an den gleichen Sportarten teil, und das ist total akzeptabel.

Ich finde eine Klamotten-Tausch-Party eine gute Idee. Warum gute Klamotten einfach wegwerfen? Andere Leute können sie wahrscheinlich gut gebrauchen. Ich würde vielleicht eine solche Party organisieren oder *online* Kleider tauschen. Ich habe es noch nicht gemacht, aber ich finde die Idee sinnvoll. Ich weiß nicht, ob andere Sachen in Irland so getauscht werden. Aber ich glaube vielleicht CDs oder Bücher.

Ich möchte auch im Ausland studieren! Aber meine Eltern würden das nicht erlauben. Sie glauben, ich sei zu jung. Im Ausland wäre ich selbständig und würde neue Erfahrungen machen. Ich könnte auch meine Sprachkenntnisse erweitern. Vielleicht werde ich nach meinem Studium in Irland im Ausland weiterstudieren. Wenn meine Freundin ohne mich ins Ausland ginge, würde ich sie natürlich vermissen. Aber wir sind nicht völlig abhängig voneinder!

Alles Gute

Conor

2016

Your German pen friend, Alex(a) has written to you. Reply in German to the letter, giving detailed answers to the **four topic areas** he/she has asked about, expressing your personal opinion. (Write approximately **160 words.**)

Hannover, 27. Mai 2016

Liebe(r) ...,
heute bin ich total kaputt und müde! Gestern gab es an unserer Schule eine große Aktion: „Wir machen unsere Schule schöner". Sag mal, was für Aktionen organisiert ihr an deiner Schule? Was möchtest du an deiner Schule verbessern oder verändern?

Bei der Aktion habe ich mit einem Mädchen aus dem Irak und einem Jungen aus Syrien zusammengearbeitet. Seit letztem Jahr haben wir mehrere Mitschüler aus Krisenländern an unserer Schule. Wie ist die Situation an irischen Schulen? Was ist deine Meinung dazu? Was kann man tun, um Flüchtlingskinder in Schule und Gesellschaft zu integrieren?

Meine Freundin Jasmin hat großen Stress zu Hause, weil ihre Eltern 3000 Euro Strafe zahlen müssen. Sie hat mit einem Filesharing-Programm Musik aus dem Internet heruntergeladen und für andere Benutzer ins Netz gestellt. Und das war leider illegal! Du machst so was bestimmt nicht, oder? Wie würden deine Eltern reagieren, wenn sie 3000 Euro für dich bezahlen müssten? Hast du schon mal richtigen Ärger mit deinen Eltern gehabt? Warum?

Ich bin ein totaler Fan von *Game of Thrones*. Gefällt dir das auch? Ich habe gelesen, der neue *Star-Wars*-Film wurde auch in Irland gedreht. Erklär mir mal, warum Irland ein so attraktives Land fürs Filmemachen ist. Welche negativen Effekte siehst du, wenn Irland für Filmproduktionen benutzt und dadurch bekannt wird? Ich soll für den Englischunterricht ein Projekt über Filmstars aus Irland machen – hab' aber keine Ahnung. Über wen soll ich schreiben?

So, nun bin ich wirklich hundemüde und mache Schluss. Bis hoffentlich bald.

Dein(e) Alex(a)

Sample answer 1

It is very important when answering the questions in the letter that you **don't just answer** but also **react** to what the letter writer has written.

Wicklow, den 2. Juni 2016

Lieber Alex,

danke für deinen Brief. Kein Wunder, dass du kaputt und müde bist! Eine solche Aktion kann sehr anstrengend sein. Letztes Jahr haben die Abschlussschüler eine Aktion gestartet, um den Saal zu dekorieren und schöner zu machen. Wir haben einen großen Saal, in dem Versammlungen und Konzerte stattfinden. Er ist alt und altmodisch. Die Wände waren letztes Jahr grau. Die Schulleiterin hat den Schülern erlaubt, den ganzen Saal zu streichen. Wir haben überall schöne Bilder hingemalt. Jetzt sieht der Saal total anders aus – so schön und lebhaft. Ab und zu müssen wir das ganze Schulgelände sauber machen. Das passiert meistens am Ende des Schuljahres. Wir müssen den ganzen Müll in großen Säcken einsammeln. Das ist viel Arbeit. Was möchte ich an meiner Schule verbessern? Ich hätte gern eine größere Schulkantine, eine Kantine, wo jeder einen Sitzplatz hat! Ich wünschte mir auch einen guten Fußballplatz.

Wir haben auch Mitschüler aus Krisenländern. Ich glaube, dass wir alles nur Mögliche tun sollten, um ihnen zu helfen. Sie sind vor Krieg und Armut geflohen und vermissen sicher ihre Heimat. In der Schule können wir sie willkommen heißen und dafür sorgen, dass sie sich bei uns wohlfühlen. Wir sollten ihnen Englischstunden bieten, damit sie die Sprache beherrschen lernen. Auch nach der Schule sollte man etwas mit ihnen unternehmen. Sport und Hobbys sind wichtig für alle Jugendlichen, und unsere ausländische Freunde würden auch gern mitmachen. So könnten wir sie in Schule und Gesellschaft besser integrieren.

Du hast von deiner Freundin Jasmin erzählt. Sie hat illegal Musik heruntergeladen. Das würde ich nicht tun. Ich weiß, dass das auch in Irland passiert, aber ich finde es blöd. Wenn man erwischt wird, gibt es hohe Strafen. Meine Eltern würden sich ärgern, wenn sie ein Strafgeld von 3000 Euro für mich bezahlen müssten! Ich müsste lange Zeit ohne Taschengeld auskommen! Ich komme meistens gut mit meinen Eltern aus. Nur ab und zu streiten wir uns über Hausaufgaben oder schlechte Schulnoten. Aber richtigen Ärger mit meinen Eltern habe ich zum Glück noch nie gehabt.

Game of Thrones gefällt mir auch. Ich finde es super! Irland ist ein attraktives Land für Filmemacher, denn wir haben eine wunderbare, ruhige Landschaft, wo man gut filmen kann. Es kostet auch weniger als in anderen Ländern, glaube ich. Für Irland hat dies meiner Meinung nach kaum negative Effekte. Vielleicht kommen dadurch mehr Touristen zu uns und das kann der Natur schaden. Du machst ein Projekt über Filmstars aus Irland? Das klingt sehr interessant. Du solltest über Cillian Murphy, Saoirse Ronan und Brendan Gleeson schreiben. Sie sind weltbekannt.

Lass mich wissen, wie es mit deinem Projekt läuft und ob ich dir noch weiter dabei helfen kann.

Bis bald

Michael

Sample answer 2

Drogheda, den 3. Juni 2016

Liebe Alexa,

danke für deinen letzten Brief. Du scheinst im Moment sehr beschäftigt zu sein! Wir organisieren auch Aktionen an unserer Schule. Wir haben eine Gruppe, die sich zugunsten von *Amnesty International* engagiert. In jedem Halbjahr organisieren die Mitglieder der Gruppe eine Veranstaltung. Sie laden Besucher in die Schule ein, die die Schüler über die Arbeit von *Amnesty International* informieren. Es gibt interessante Vorträge. Sie hängen auch viele Poster an die Wände und zeigen in der Mittagspause kurze Filme. Vor Weihnachten sammeln wir Spielzeuge für Kinder aus armen Familien. Dann organisieren wir die Verpackung und Verteilung der Spielzeuge. Was ich an meiner Schule verbessern möchte? Ich interessiere mich für die Umwelt. Deshalb wäre ein Biogarten schön, wo Schüler ab und zu arbeiten können.

Wir haben auch Mitschüler aus Krisenländern. Ich finde es gut, dass wir sie willkommen heißen. Um Flüchtlingskinder in Schule und Gesellschaft zu integrieren, sollten wir ihnen zuerst eine geeignete Unterkunft anbieten, wo sie und ihre Familien sich zu Hause fühlen können. Dann sollten wir ihnen die Gelegenheit bieten, ihr Englisch zu verbessern. Das kann man in der Schule tun. Flüchtlingskinder sollten auch die gleichen Chancen haben wie irische Kinder.

Die arme Jasmin! Meine Eltern wären auch böse. Ich würde nicht wagen, Musik illegal herunterzuladen. Erstens ist es nicht gerecht, denn die Musiker müssen auch ihren Lebensunterhalt verdienen. Zweitens ist es dumm. Wenn man erwischt wird, gibt es richtig Ärger. Ich habe einmal richtigen Ärger mit meinen Eltern gehabt. Ich habe damals bei einer Freundin übernachtet, ohne meinen Eltern davon zu erzählen! Sie waren so böse auf mich. Aber ich habe jetzt wieder ein gutes Verhältnis zu ihnen.

Ich bin eigentlich kein großer Fan von *Game of Thrones*, obwohl viele meiner Freunde dafür schwärmen. Du hast Recht, der neue *Star-Wars*-Film wurde in Irland gedreht. Die Landschaft wurde gewählt, weil sie so schön, wild und unzerstört ist. Das macht sie für Dreharbeiten so attraktiv. Viele Filmemacher finden das Licht in Irland wunderbar. Aber wenn viele Touristen nachher den Ort besuchen, dann wird der mit der Zeit zu touristisch und die Landschaft ist dann nicht mehr so schön und ruhig.

Du machst ein Projekt über Filmstars aus Irland? Dann solltest du über Cillian Murphy schreiben. Er ist ein toller Schauspieler und sehr bekannt. Saoirse Ronan ist auch weltberühmt und hat viele erfolgreiche Filme gedreht. Viel Glück dabei!

Ich freue mich auf deinen nächsten Brief.

Viele liebe Grüße

Maria

2017

Your Swiss pen friend, Martin(a), has written to you. Reply in German to the letter, giving detailed answers to the **four topic areas** he/she has asked about, expressing your personal opinion. (Write approximately **160 words.**)

Basel, 8. Mai 2017

Liebe(r) ...,

gestern haben wir mit unserer Englischlehrerin das Musical *La La Land* gesehen – auf Englisch. Nicht ganz einfach zu verstehen, aber ich fand den Film trotzdem toll. Welchen Film hast du **auf Deutsch** gesehen? Wie können Filme im Unterricht helfen? Wir haben an unserer Schule einen Film-Klub und eine Theatergruppe. Welche Extra-Angebote und Aktivitäten gibt es an deiner Schule?

Im Musikunterricht gibt es bei uns seit Beginn des Jahres Tanzunterricht – so richtig mit Tango, Cha-Cha-Cha und Walzer. Total doof oder cool – was denkst du? Hättest du Spaß an solch einem Tanzkurs? Schreib mir doch warum – oder warum nicht. Ist Tanzen bei euch in Irland populär?

Meine Schwester ist gerade eine Woche auf Klassenfahrt unterwegs. Eine „Challenge Week" soll das sein. Alle haben freiwillig ihre Smartphones zu Hause gelassen! Was meinst du, wird das ohne Handys gut gehen oder wird es Probleme geben? Erklär mir doch bitte, warum du so denkst. Welche anderen Ideen für eine „Challenge Week" hättest du? Und was wäre für dich besonders schwierig dabei?

In meiner Klasse diskutieren wir gerade viel über die Zukunft. Für viele meiner Freunde ist der perfekte Plan: erst Abi, dann sofort studieren, dann arbeiten. Was meinst du dazu? Nenn mir doch bitte die Gründe für deine Meinung. Was sind deine konkreten Pläne für den September nach dem Abi?

Jetzt muss ich leider aufhören. Meine Mutter ruft. Meine Tante hat heute Geburtstag und meine Eltern fahren zu ihr. Ich muss mit.

Ich freue mich auf deine Antwort! Also, bis bald!

Dein(e) Martin(a)

Sample answer 1

Galway, den 14. Mai 2017

Liebe Martina,

vielen Dank für deinen Brief. Ich habe auch zufällig *La La Land* gesehen. Die Musik war gut. Im Deutschunterricht haben wir den Film *Die fetten Jahre sind vorbei* gesehen. Der Film war toll und hat uns sehr gut gefallen. Das Deutsch war manchmal schwierig, aber wir hatten auch Untertitel dazu! Deutsche Filme können sicher im Unterricht helfen, denn wir hören und lernen dabei Deutsch. Wir lernen außerdem etwas über die deutsche Kultur. Wir haben leider keinen Film-Klub an unserer Schule, aber wir haben eine Theatergruppe. Viele Schüler interessieren sich dafür. Für die sportlichen Schüler haben wir eine Fußballmannschaft und eine Basketballmannschaft.

Tanzunterricht finde ich cool! Ich hätte definitiv Interesse daran. Ich tanze gern, aber nicht besonders gut! Ich könnte Tanzunterricht also gut gebrauchen. Tanzen ist bei uns populär. *Riverdance* hat eine große Rolle dabei gespielt. Viele junge Iren wurden davon inspiriert und haben zu tanzen angefangen. Ich möchte an einem Tanzkurs teilnehmen, um auch internationale Tänze zu lernen.

Eine „Challenge Week" ist eine interessante Idee. Eine Woche ohne Handys! Ich glaube nicht, dass es dabei ohne Probleme zugehen kann. Für viele junge Leute ist das Leben ohne Handys nicht vorstellbar. Ich habe mein Handy fast immer dabei und meine Freunde auch. Man kann so viel damit machen. Andere Ideen für eine „Challenge Week"? Für Leute, die nicht besonders fit sind, könnte so eine Woche gut sein. Viele junge Leute sitzen zu lange vor dem Computer oder dem Fernseher und gehen nicht an die frische Luft. Sie werden faul und übergewichtig. Eine Woche Bergwandern wäre prima. Aber für mich wäre das schwierig! Eine andere Idee wäre eine karitative Aktivität. Man könnte zum Beispiel eine Woche im Ausland verbringen, wo man ärmeren Kindern helfen könnte.

Abi, dann studieren, dann arbeiten. So wird die Zukunft auch bei uns gesehen. Es ist kein schlechter Plan. Nach dem Abi habe ich vor, auf die Uni zu gehen. Nachher möchte ich arbeiten, wobei ich eine Zeitlang im Ausland arbeiten möchte, um neue Erfahrungen zu sammeln und andere Kulturen zu erleben. Für den September nach dem Abi habe ich vor, auf die Universität zu gehen. Ich möchte Jura studieren, aber das kommt auf meine Noten an.

Alles Gute

Deine Claire

Sample answer 2

Bundoran, den 15. Mai 2017

Lieber Martin,

danke für deinen Brief. Der Film *La La Land* hat mir nicht besonders gefallen. Nicht mein Geschmack! Aber wir haben im Deutschunterricht *Goodbye Lenin* gesehen, natürlich auf Deutsch! Ich fand den Film toll und historisch sehr interessant. Filme im Unterricht können eine Hilfe sein. Ein deutscher Film hilft uns zum Beispiel beim Deutschlernen. Gewisse Filme helfen uns außerdem, die Geschichte eines Landes besser zu verstehen. Filme motivieren uns auch, über wichtige Sachen nachzudenken und zu diskutieren. Wir haben keinen Film-Klub an unserer Schule. Wir haben aber einen Schach-Klub. Ich bin Mitglied dieses Klubs, weil ich sehr gern Schach spiele. Es gibt auch einen Musik-Klub. Ich bin nicht musikalisch, aber viele Schüler machen mit.

Ich finde Tanzunterricht eine gute Idee. Viele Schüler tanzen sehr gern und sind sehr talentiert. Wenn man sich verbessern will, ist die Tanzstunde eine tolle Idee. Ob ich daran Spaß hätte? Da bin ich mir nicht sicher. Ich würde lieber Sport treiben. Tanzen ist populär in Irland. Jugendliche und Erwachsene machen gern Tanzkurse. Man hält das für gesund und es macht Spaß.

Eine „Challenge Week" ohne Handys? Schwer, aber nicht unmöglich, würde ich sagen. Viele Leute mögen Herausforderungen und wenn es nur eine Woche dauert, schaffen sie das sicher. Ich habe ein paar Ideen für eine „Challenge Week". Wie wäre es mit einer Woche auf einem Bauernhof für junge Menschen, die in der Großstadt aufgewachsen sind? Das könnte interessant sein – früh aufstehen und den ganzen Tag arbeiten. Das wäre ein bisschen anstrengend für mich! Freiwillige Arbeit in der Gemeinschaft wäre auch gut. Man könnte alten Menschen helfen oder die Stadt sauber machen.

Die Zukunftspläne sehen für viele junge Leute gleich aus – Abi, studieren und dann arbeiten, wie du schreibst. Ich bin mir da noch nicht so sicher. Ich möchte auf die Universität gehen, aber ich überlege, ob ich ein Jahr nach dem „Leaving Cert." arbeiten soll und dann erst studieren. Ich bin mir nicht ganz sicher, was ich studieren will, und ich könnte inzwischen praktische Erfahrungen sammeln. Für den September habe ich wenigstens schon feste Pläne. In der ersten Woche fahre ich mit zwei Freunden in Urlaub, und zwar nach New York. Das kostet Geld, aber ich werde den ganzen Sommer im Geschäft meines Vaters arbeiten und Geld dafür sparen. Ich freue mich wahnsinnig darauf!

Es ist immer interessant, von dir zu hören, und ich freue mich schon auf deinen nächsten Brief.

Bis bald

Dein Stephen

2018

Your German friend, Julia(n), has written to you. Reply in German to the letter, giving detailed answers to the **four topic areas** he/she has asked about, expressing your personal opinion. (Write approximately **160 words.**)

Hannover, 11. Mai 2018

Liebe(r) ...

wir diskutieren in der Klasse mal wieder darüber, was wir studieren wollen. Mein Freund Tim will Grundschullehrer werden. Ich finde das toll, weil hier früher fast immer Frauen in Grundschulen unterrichteten. Wie war das, als du in der Grundschule warst? Welche Berufe sind immer noch typische Frauen- und Männerberufe in Irland? Was hat sich mittlerweile geändert?

Hier in Deutschland können Schüler jedes Jahr die „Lehrer des Jahres" wählen. Was hältst du davon? Welche Qualitäten sollte ein guter Lehrer haben? Warum glaubst du das? Und wie haben dir verschiedene Lehrer und Lehrerinnen am meisten geholfen?

Gestern habe ich auf Youtube eine Doku gesehen mit dem Titel: *Taste the Waste*. Allein in Deutschland landen jedes Jahr 30 Millionen Tonnen Lebensmittel im Müll!!! Was sagst du dazu? Wie ist das in Irland? Ich denke, wir müssen das ändern. Aber wie? Schreib mir bitte zwei Ideen dazu.

Ich freue mich schon so darauf, dich nächstes Jahr in Irland zu besuchen. Ich will unbedingt Irisch lernen. Wie mache ich das am besten? In welchen Regionen wird Irisch gesprochen? Hast du dort einmal Ferien oder einen Sprachkurs gemacht? Wie war das?

So, jetzt mache ich Schluss und gehe mit dem Hund in den Park. Hier ist herrliches Wetter!
Tschüs und bis bald!

Dein(e) Julia(n)

Sample answer 1

Wicklow, den 18. Mai 2018

Lieber Julian,

danke für deinen sehr interessanten Brief. In Irland ist es genauso wie bei euch! Fast alle Grundschullehrer sind Frauen. Als ich in der Grundschule war, hatte ich nur Grundschullehrerinnen. Das ist immer noch der Fall, glaube ich. Andere typische Frauenberufe sind: Krankenpflegerin, Kinderbetreuerin, Kindergärtnerin, Kosmetikerin und Putzfrau. Typische Männerberufe sind: Mechaniker, Elektriker, Ingenieur, Tischler und Landwirt. In letzter Zeit haben sich mehr Frauen für typische Männerberufe interessiert, zum Beispiel für Architektur oder Ingenieurwesen, aber die Situation ändert sich nur langsam.

Ich finde es gut, dass man in Deutschland „Lehrer des Jahres" wählen kann. Das ist in Irland nicht üblich. Ein guter Lehrer sollte geduldig und verständnisvoll sein. Diese Qualitäten sind wichtig, weil nicht alle Schüler akademisch begabt sind – Lehrer müssen das in Kauf nehmen. Lehrer sollten auch Spaß am Unterricht haben. Sonst ist der Unterricht für die Schüler langweilig. Einige Lehrer haben mir geholfen. Mein Mathelehrer hat mir ab und zu nach der Stunde etwas genauer erklärt. Du weißt, Mathe ist nicht mein bestes Fach! Meine Berufsberaterin hat mir auch sehr geholfen. Sie hat mir eine Menge Informationen über verschiedene Berufe gegeben und mir bei meiner Berufswahl geholfen.

In Irland haben wir auch ein Müllproblem. Viele Lebensmittel werden einfach in die Mülltonne geworfen. So eine Verschwendung! Das muss man ändern. Die Supermärkte könnten eine Rolle spielen. Lebensmittel, die das Mindesthaltbarkeitsdatum überschritten haben, sollten an Obdachlose und Arme verteilt werden. Wir sollten auch besser darauf achten, was wir kaufen. Wir kaufen manchmal einfach zu viel und was übrig bleibt, schmeißen wir einfach weg.

Du willst Irisch lernen!! Das wundert mich. Wir sprechen hier alle Englisch. Auch die irischsprachigen Leute sprechen Englisch! Am besten gehst du in die *Gaeltacht*. Das ist eine Gemeinschaft, in der Irisch gesprochen wird. Die *Gaeltacht* befindet sich überwiegend im Westen und im Nordwesten Irlands. Vielleicht gibt es dort Ferienkurse für Anfänger. Ich habe dort letztes Jahr einen Sprachkurs gemacht. Wir durften nur Irisch sprechen! Englisch war total verboten. Es war ein bisschen langweilig, aber ich glaube, ich habe mein Irisch verbessert.

Hier ist das Wetter auch herrlich. Wir haben gerade eine Hitzewelle! Ich freue mich auf deinen Besuch.

Lass bald von dir wieder hören!

Alles Gute!

Dein Jack

Vokabelhilfe: Mindesthaltbarkeitsdatum überschritten *past sell-by date*

Sample answer 2

Dublin, den 20. Mai

Liebe Julia,

danke für deinen Brief. Es ist immer schön, von dir zu hören. In Irland sind die Lehrer überwiegend Frauen, sowohl in der Grundschule als auch in der Sekundarschule. In der Grundschule hatte ich meistens nur Lehrerinnen, aber in der sechsten Klasse hatten wir einen Lehrer. Wir haben immer noch typische Frauen- und Männerberufe hier. Die Situation ändert sich nur langsam. Immer mehr Frauen interessieren sich für Ingenieurwesen oder Technologie. Aber die meisten Ingenieure sind immer noch Männer, genauso wie Maurer, Klempner, Mechaniker und Bankdirektoren. Außer im Lehrerberuf findet man Frauen hauptsächlich im Pflegebereich, in der Kinderbetreuung, in Friseursalons und als Visagistinnen.

Ihr könnt jedes Jahr die „Lehrer des Jahres“ wählen. Das ist eine tolle Idee, finde ich. Ein guter Lehrer sollte vor allem die Schüler motivieren können. Wenn die Schüler motiviert sind, lernen sie besser. Lehrer sollten auch freundlich und warmherzig sein, damit die Schüler sich im Unterricht wohl fühlen. Ich finde bestimmte Lehrer sehr hilfsbereit. Als ich einmal krank war und den Unterricht versäumt habe, waren meine Lehrer sehr verständnisvoll. Sie haben mir geholfen, die Schularbeiten nachzuholen.

Wir haben auch in Irland das Problem der Lebensmittelverschwendung. Wir werfen viele Lebensmittel weg. Wie können wir das ändern? Wir könnten in der Schule beginnen. Vielleicht im Hauswirtschaftsunterricht richtig lernen, wie man mit dem Kauf von Lebensmitteln umgeht. Junge Leute sollten lernen, gesund und vernünftig zu kochen und den Kauf von zu vielen Lebensmitteln zu vermeiden. Viele Leute in unserer Gesellschaft haben kaum genug zum Überleben. Es gibt mehrere Suppenküchen in Irland, und die könnten die übrig gebliebenen Lebensmittel gut gebrauchen.

Du willst Irisch lernen. Ehrlich? Das finde ich toll. Ich wünsche dir viel Glück dabei. Am besten machst du einen Sprachkurs. In den Grafschaften Donegal, Galway und Kerry zum Beispiel gibt es Regionen, wo Irisch gesprochen wird. Ich habe dort leider keinen Sprachkurs gemacht. Schade! Ich habe mein Irisch nur in der Schule gelernt. Ich mag Irisch. Eine Freundin von mir hat einen Irischkurs in den Ferien besucht und es hat ihr Spaß gemacht.

Ich mache jetzt Schluss. Lass mich wissen, wann du nach Irland kommst. Du musst wenigstens eine Woche bei mir verbringen, bevor du deinen Irischunterricht anfängst!

Bis dann. Ich freue mich auf deinen nächsten Brief.

Deine Nicola

Vokabelhilfe:	nachholen	*to catch up*
	vernünftig	*sensible*
	vermeiden	*to avoid*

Topical writing

The alternative written task on your paper requires you to express your opinion on a given topic in about 160 words. It is often a response to a visual stimulus such as a picture, a cartoon or a photograph. Here you will find examples of questions on particular topics and suggested answers.

While the letter-writing task is generally more popular, it is worth considering that the second task requires **less reading** and this may be an advantage if you are under time pressure.

Das digitale Zeitalter (*The digital age*)

Beschreiben Sie in drei bis vier Sätzen, was Sie auf dem Foto sehen.

Describe in three to four sentences what you see in the photo.

Auf dem Foto sehe ich zwei junge Männer am Bahnhof. Sie warten auf einen Zug. Einer hat ein Handy und der andere hat ein Tablet. Sie konzentrieren sich exklusiv auf ihr Gerät.

In the photo I see two young men at the station. They are waiting for a train. One has a mobile phone and the other has a tablet. They are concentrating exclusively on their device.

Wie hat sich die digitale Welt in den letzten Jahren entwickelt?

How has the digital world developed in recent years?

Die digitale Welt hat sich in den letzten Jahren rasend entwickelt.

The digital world has developed rapidly in recent years.

Das Smartphone und der Tablet-Computer haben unseren Alltag verändert.

The smartphone and the tablet-computer have changed our everyday life.

Fast alle Menschen, jung und alt, sind irgendwie auf diese Geräte angewiesen.

Nearly everybody, young and old, is somehow dependent on these devices.

Das E-Book hat das Papierbuch für viele Leser ersetzt.

The eBook has replaced the paper book for many readers.

Junge Leute können sich eine Welt ohne soziale Medien, Skype oder E-Mail nicht vorstellen.

Young people cannot imagine a world without social media, Skype or email.

Wie hat das Smartphone den Alltag verändert?

How has the smartphone changed daily life?

Mit einem Smartphone kann man nicht nur telefonieren oder eine SMS schicken.

With a smartphone you can not only phone or text.

Mit einem Smartphone kann man im Internet surfen, E-Mails empfangen, Musik hören und Fahrkarten buchen.

With a smartphone you can surf the internet, receive emails, listen to music and book travel tickets.

Mit der integrierten Kamera kann man tolle Fotos machen.

With the integrated camera you can take great photos.

Für Kinder gibt es zahllose Spiele, mit denen sie sich die Langeweile vertreiben können.

For children there are countless games with which they can keep boredom at bay.

Das Smartphone ist wie ein Mini-Computer.	*The smartphone is like a mini computer.*
Es gibt eine passende App für fast alles.	*There is a suitable app for almost everything.*

Warum sind Online-Käufe so beliebt? / *Why is online shopping so popular?*

Der Online-Kauf ist aus mehreren Gründen sehr beliebt geworden.	*Online shopping is very popular for many reasons.*
Viele Leute wohnen weit von großen Geschäften entfernt.	*Many people live far from the big shops.*
Sie können von zu Hause aus ruhig einkaufen, auch außerhalb der Öffnungszeiten. Immer mehr Ketten bieten einen guten Lieferservice an.	*They can do their shopping easily from home, outside of opening hours. More and more chains are offering a good delivery service.*
Das ist gut für Leute, die wenig Zeit zum Einkaufen haben.	*That is good for people who don't have much time for shopping.*
Der Kunde kann blitzschnell die Geschäfte wechseln und Preise vergleichen.	*The customer can change shops as fast as lightning and compare prices.*
Für Händler ist es auch günstig – sie können Personalkosten sparen.	*For traders it's also advantageous – they can save on the cost of personnel.*

Welche Vor- und Nachteile hat ein E-Book-Reader? / *What are the advantages and disadvantages of an eBook reader?*

E-Book-Reader sind in Irland sehr beliebt.	*EBook readers are very popular in Ireland.*
Ich selbst habe einen Kindle. Ich finde ihn super.	*I myself have a Kindle. I think it's super.*
Ein E-Book-Reader hat viele Vorteile.	*An eBook reader has many advantages.*
Er ist klein und leicht.	*It is small and light.*
Er kann hunderte von Büchern speichern.	*It can store hundreds of books.*
Er ist robust, wasserfest und preiswert.	*It is robust, waterproof and good value.*
Er hat eine lange Batterielaufzeit.	*It has a long battery life.*
Man kann die Schriftgröße verändern und den Text ohne Lesebrille lesen.	*You can change the size of the script and read it without reading glasses.*
Für Reisende ist ein E-Book-Reader ideal, denn er passt gut in die Reisetasche. Er wiegt fast nichts.	*For travellers an eBook reader is ideal because it fits easily into the travel bag. It weighs hardly anything.*

Er ist gut für die Umwelt – weniger Papier bedeutet weniger Abholzung.	*It is good for the environment – less paper means less deforestation.*
Es gibt aber auch Nachteile.	*But there are also disadvantages.*
Es besteht die Gefahr des Diebstahls.	*There is the risk of theft.*
Er muss immer aufgeladen werden, das Papierbuch nie.	*It always has to be charged, a paper book never does.*
Es ist nicht einfach, darin Notizen zu machen. Schüler und Studenten machen gern Notizen.	*It is not easy to make notes in it. Pupils and students like to make notes.*
Vielleicht gibt's in Zukunft keine Bibliotheken oder Buchhandlungen mehr. Die Leute, die dort arbeiten, werden arbeitslos.	*Perhaps in the future there will be no more libraries or bookshops. The people who work there will be unemployed.*

Die Medien (*The media*)

Wie wichtig sind die Medien heute?	***How important are the media today?***
Die Presse, das Fernsehen und das Internet spielen eine große Rolle im täglichen Leben.	*The press, television and the internet play a big part in daily life.*
Meiner Ansicht nach ist das Fernsehen das einflussreichste Medium.	*In my view television is the most influential medium.*
Die Zahl der Sender hat in den letzten Jahren rapide zugenommen.	*The number of channels has grown rapidly in recent years.*
Durch die Medien wird man schnell über alles informiert, was in der Welt passiert.	*Through the media we get information very quickly about what is happening in the world.*
Das Radio ist auch sehr populär.	*Radio is also very popular.*
Wenn man Radio hört, kann man gleichzeitig arbeiten.	*When you listen to the radio you can work at the same time.*
In vielen Haushalten läuft das Radio tagsüber und oft werden aktuelle Themen heftig diskutiert.	*In many households the radio is on during the day and current themes are hotly discussed.*

Lesen Sie regelmäßig eine Zeitung? Warum oder warum nicht? Was für Zeitschriften lesen junge Leute gern?	***Do you regularly read a newspaper? Why? Why not? What kind of magazines do young people like to read?***
Ich lese ab und zu Zeitung.	*I read the newspaper now and then.*
Unter der Woche bin ich mit der Schule ziemlich beschäftigt.	*During the week I'm quite busy with school.*
Ich lese lieber am Wochenende Zeitung.	*I prefer to read the newspaper at the weekend.*
Ich mag die Sonntagszeitungen.	*I like the Sunday newspapers.*
Es sind manchmal sehr interessante Artikel darin.	*There are sometimes very interesting articles in them.*
Es gibt heute zahlreiche Zeitschriften für junge Leute.	*There are numerous magazines today for young people.*
Junge Leute lesen gern Mode-, Sport- und Musikzeitschriften.	*Young people like reading fashion, sports and music magazines.*

Sind Ihrer Meinung nach die Einschaltquoten wichtiger als die Qualität der Fernsehsendungen? Begründen Sie Ihre Meinung.

In your opinion, are the ratings more important than the quality of the TV programmes? Give reasons for your opinion.

Ich glaube fest, dass die Einschaltquoten tatsächlich wichtiger sind als die Qualität der Fernsehsendungen.

I firmly believe that the ratings are actually more important than the quality of the television programmes.

Der Erfolg der so genannten Reality-Shows wie „Big Brother" ist ein Beweis dafür.

The success of so-called reality programmes like 'Big Brother' is proof of that.

Jedes Jahr versucht man, sich neue Ideen für solche Sendungen auszudenken.

Every year they try to think up new ideas for such programmes.

Das Fernsehen ist vor allem ein Unterhaltungsmedium.

Television is primarily an entertainment medium.

Das ist verständlich.

That is understandable.

Nach dem Alltagsstress wollen wir abschalten, uns entspannen.

After the stress of everyday life we want to switch off, relax.

Das Fernsehen kann und soll uns jedoch auch zum Denken und zur Diskussion anregen.

However, television can and should also stimulate thinking and discussion.

Welche Rolle spielt das Internet heute?

What role does the internet play today?

Immer mehr Leute nutzen heute das Internet.

More and more people are using the internet today.

Der Zugang ist leicht.	*Access is easy.*
Es bietet enorme Kommunikationsmöglichkeiten.	*It offers huge possibilities for communication.*
Man muss aber Kinder vor gefährlichen Websites schützen.	*But children have to be protected from dangerous websites.*
Es ist sehr schwierig, alle Onlinedienste zu zensieren.	*It is difficult to censor all online services.*

Warum mögen junge Menschen soziale Medien?	***Why do young people like social media?***
Unbestreitbar haben soziale Medien einen großen Einfluss auf junge Leute.	*Undeniably, social media has a big influence on young people.*
Die Kommunikation mit Freunden ist für junge Leute äußerst wichtig.	*Communication with friends is extremely important for young people.*
Sie lieben es, Zeit mit ihren Freunden zu verbringen.	*They love to spend time with their friends.*
Sie können sich im Nu mit vielen Freunden treffen und über gemeinsame Interessen sprechen.	*They can meet many friends instantly and talk about common interests.*

Was sind die positiven Auswirkungen von sozialen Medien?	***What are the positive effects of social media?***
Man kann leicht und schnell kommunizieren.	*One can communicate easily and fast.*
Junge Leute haben das Gefühl, miteinander verbunden zu sein – dass sie dazugehören.	*Young people have the feeling of connectedness – that they belong.*
Innerhalb sozialer Medien kann man neue Kontakte knüpfen und einen großen Freundeskreis aufbauen.	*Within social media one can form new contacts and build up a large circle of friends.*
Soziale Medien bieten Zugang zu Informationen, die unseren Interessen entsprechen, zum Beispiel zu Musik oder Filmen.	*Social media offers access to information that corresponds to our interests, for example, music or films.*
Soziale Medien sind unterhaltsam – man findet viele unterhaltsame Videos und Bilder auf Facebook, Instagram und Snapchat.	*Social media is entertaining – one finds many entertaining videos and pictures on Facebook, Instagram and Snapchat.*

Was sind die negativen Auswirkungen von sozialen Medien?	***What are the negative effects of social media?***
Eine intensive Nutzung kann sich negativ auf die Gesundheit auswirken und zum Beispiel Übergewicht und Schlafmangel auslösen.	*Intensive use can have a negative effect on health, for example it can lead to overweight and lack of sleep.*
Wenn man zu lange bei sozialen Medien angemeldet ist, vernachlässigt man andere Hobbys, zum Beispiel Sport.	*When you're on social media for too long, you neglect other hobbies, for example sport.*
Die Schulleistungen werden manchmal schlechter.	*School results/achievements sometimes deteriorate.*
Man kann süchtig werden – soziale Medien-Sucht ist ein wachsendes Problem.	*You can become addicted – social media addiction is a growing problem.*
Die Online-Spiele, die Kindern und Jugendlichen Spaß machen, können zur Sucht werden. Jugendliche werden ständig motiviert, weiterzuspielen.	*The online games that children and young people enjoy can become addictive. Young people are constantly motivated to continue playing.*
Cyber-Mobbing ist heutzutage auch ein großes Problem, das in mehreren sozialen Netzwerken stattfindet.	*Cyber bullying is also a big problem today, which happens on several social networks.*
Es gibt viele Opfer von Cyber-Mobbing.	*There are many victims of cyber bullying.*
Sie werden gehänselt oder verspottet.	*They are teased or derided.*
Sie fühlen sich oft ausgeschlossen.	*They often feel excluded.*

Was sind die Vor- und Nachteile der Werbung?	***What are the advantages and disadvantages of advertising?***
Die Werbung hat viele Vorteile.	*Advertising has many advantages.*
Sie informiert uns über neue Produkte, die sehr nützlich sein können.	*It gives us information about new products that can be very useful.*
Werbespots sind manchmal sehr lustig und unterhaltsam.	*Advertisements are sometimes very funny and entertaining.*
Werbung schafft auch Arbeitsplätze.	*Advertising also creates jobs.*
Die Verbraucher sind heute umweltbewusster.	*Consumers are more environmentally aware today.*
Die Werbung nimmt das zur Kenntnis und die Produkte werden immer umweltverträglicher.	*Advertising takes that into account and the products are becoming more and more environmentally compatible.*

Es gibt aber auch viele Nachteile.	*However, there are also many disadvantages.*
Viele Leute meinen, dass Werbung eine Art Gehirnwäsche sei.	*Many people think that advertising is a type of brain washing.*
Werbung verführt Leute.	*Advertising seduces/misleads people.*
Leute kaufen Sachen, die sie nicht brauchen oder die sie sich nicht leisten können.	*People buy things that they don't need or can't afford.*
Kinder werden auch manipuliert, besonders vor Weihnachten.	*Children are also manipulated, especially before Christmas.*
Man macht viel Werbung für teure Spielzeuge und Computerspiele.	*There is a lot of advertising for expensive toys and computer games.*
Das ist besonders schwierig für ärmere Familien.	*That is particularly difficult for poorer families.*
Manchmal wird auch für zu fette, zu salzhaltige und zu süße Lebensmittel geworben, die gesundheitsschädlich sind.	*Sometimes food products are promoted that are too fatty, too salty or too sweet and harmful to one's health.*
Werbung ist auch oft irreführend.	*Advertising is also often misleading.*
Die Werbebilder zeigen immer eine heile Welt.	*The advertising pictures always show an ideal world.*

Stadt oder Land (*Town or country*)

Beschreiben Sie, was Sie auf Foto 1 und auf Foto 2 sehen.	***Describe what you see in photo 1 and photo 2.***
Das erste Foto zeigt eine Großstadt. Es gibt viele Hochhäuser.	*The first photo depicts a city. There are a lot of high-rise buildings.*
Leute sind unterwegs – Autofahrer, Radfahrer und Fußgänger.	*People are on the move – motorists, cyclists and pedestrians.*
Es ist vielleicht Hauptverkehrszeit/Rushhour.	*It may be rush hour.*
Auf dem zweiten Foto sieht man eine enge Landstraße, zwei Bauernhäuser und zwei grüne Wiesen.	*In the second photo I see a narrow country road, two farmhouses and two green meadows/fields.*
Kühe grasen auf der Wiese.	*Cows are grazing in the meadow.*
Im Hintergrund sieht man viele Bäume.	*You can see a lot of trees in the background.*

In Irland wurden zuletzt viele Wohnsiedlungen in den Städten gebaut.	***In Ireland many housing estates were built recently in towns.***
Welche Nachteile bringt das?	***What disadvantages does that bring?***

Es gibt viele Wohnsiedlungen in unseren Städten.	*There are many housing estates in our towns.*
Mehr Wohnsiedlungen bedeuten mehr Autos.	*More housing estates mean more cars.*
Fast jeder Haushalt hat mindestens ein Auto.	*Nearly every household has at least one car.*
Die Leute sitzen oft lange im Stau fest.	*People often get stuck in traffic jams.*
Die Autoabgase sind schlecht für die Umwelt.	*The car exhaust fumes are bad for the environment.*
Die Stadtluft ist nicht gesund.	*The town/city air is not healthy.*
Die Vororte werden immer dichter besiedelt.	*The suburbs are becoming more densely populated.*
Kinder haben weniger Platz zum Spielen.	*Children have less space to play.*
Es gibt wesentlich weniger Grün.	*There is considerably less green space.*
Der neue Wohlstand der Iren hat seinen Preis.	*The new prosperity of the Irish people has its price.*

Wie hat sich in den letzten Jahren die irische Landschaft verändert? Geben Sie zwei oder drei Beispiele an.	***How has the Irish countryside changed in recent years? Give two or three examples.***

Die irische Landschaft hat sich in den letzten Jahren sehr verändert.	*The Irish countryside has changed a lot in recent years.*
Sie wird von vielen Häusern und Hotels zersiedelt, die in letzter Zeit gebaut wurden.	*It is dotted with many houses and hotels that have been built recently.*
Man sieht nicht nur Bauernhäuser, sondern auch moderne Bungalows und riesengroße Einfamilienhäuser.	*You see not just farm houses but also modern bungalows and huge detached houses.*
Zurzeit werden neue Autobahnen gebaut.	*New motorways are currently being built.*
Ich finde es schade, dass so viel gebaut wird.	*I think it's a pity that there is so much building going on.*

Wo lebt man Ihrer Meinung nach besser – in der Stadt oder auf dem Land? Geben Sie mehrere Gründe für Ihre Antwort an.	***Where is it better to live in your opinion – in the town or in the country? Give several reasons for your answer.***
Es gibt Vor- und Nachteile in der Stadt und auf dem Land.	*There are advantages and disadvantages in the town and in the country.*
In der Stadt gibt es mehr zu tun.	*There is more to do in the town.*
Für Jugendliche gibt es Kinos, Diskos, Sportzentren und bessere Einkaufsmöglichkeiten.	*For young people there are cinemas, discos, sport centres and better shopping facilities.*
Die öffentlichen Verkehrsmittel sind besser in der Stadt.	*Public transport is better in the town.*
Es gibt aber zu viele Leute, zu viel Lärm, Verkehrsstaus und Luftverschmutzung.	*But there are too many people, too much noise, traffic jams and air pollution.*
Das Leben ist hektisch und die Leute sind oft gestresst.	*Life is hectic and the people are often stressed.*
Auf dem Land ist es ruhiger, weniger hektisch.	*In the country it is quieter, less hectic.*
Man trifft häufiger Leute, die man kennt.	*You meet people you know more often.*
Es gibt weniger Verkehrsunfälle.	*There are fewer traffic accidents.*
Die Kriminalitätsraten sind niedriger.	*The crime rates are lower.*
Es gibt weniger soziale Probleme.	*There are fewer social problems.*
Man muss jedoch eine weite Strecke zur Schule, zur Arbeit oder zu verschiedenen Veranstaltungen fahren.	*However, you have to travel a long distance to school, to work or to different events.*
Der öffentliche Nahverkehr ist nicht so gut wie in der Stadt.	*The local public transport is not as good as in the town.*
Es gibt weniger Arbeitsplätze.	*There are fewer jobs.*
Für Jugendliche kann das Leben auf dem Land langweilig sein.	*For young people life in the country can be boring.*
Ich würde lieber in der Stadt leben.	*I would prefer to live in the town.*
Es ist eine Frage des persönlichen Geschmacks, ob man das Land oder die Stadt bevorzugt.	*It is a matter of personal taste whether one prefers the country or the town.*
Für Familien mit Kindern ist das Land vielleicht die bessere Wahl.	*For families with children the country is perhaps the better choice.*

Die Entwicklungsländer (*The developing nations*)

Was sind Ihrer Meinung nach die größten Probleme in den Entwicklungsländern?	***What are the biggest problems in the developing nations in your opinion?***
Die Menschen in den Entwicklungsländern leben unter sehr schlechten Bedingungen.	*The people in developing nations live in very poor conditions.*
Manche leben in absoluter Armut.	*Many live in absolute poverty.*
Es fehlen ihnen oft alltägliche Dinge, zum Beispiel sauberes Wasser und gesundes Essen.	*They often lack everyday basics, for example, clean water and healthy food.*
Millionen von Menschen leiden an den Folgen von Hungersnot und Krankheiten.	*Millions of people are suffering from the effects of famine and disease.*
Viele Kinder sind unterernährt.	*Many children are undernourished.*
Viele sterben sogar an Unterernährung.	*Many even die from malnutrition.*
Viele Menschen sterben an AIDS, weil ihnen die notwendigen Medikamente fehlen.	*Many people die of AIDS because they don't have the necessary medication.*
Viele Entwicklungsländer sind hoch verschuldet.	*Many developing nations are heavily in debt.*
Sie sind in einem Teufelskreis.	*They are in a vicious circle.*
Sie brauchen dringend Geld, aber sie können die Schulden nicht zurückzahlen.	*They need money urgently but they cannot pay back the debts.*
So werden sie noch ärmer.	*In that way they become even poorer.*

Was sind Ihrer Meinung nach die Ursachen der Armut?	***What are the causes of poverty in your opinion?***
Viele Leute meinen, die Industrieländer hätten die Armut der Entwicklungsländer verursacht.	*Many people think that the industrial countries have caused the poverty in the developing countries.*
Ich glaube, das stimmt teilweise.	*I think that is partly true.*
Geld regiert die Welt.	*Money rules the world.*
Die armen Länder werden manchmal von den reichen ausgebeutet.	*The poor countries are sometimes exploited by the rich ones.*
Wenn es eine Dürre gibt, ist das für ein armes Land besonders schlimm.	*If there is a drought, it is particularly serious for a poor country.*
Eine Dürre kann die ganze Ernte verderben.	*A drought can destroy the entire crop.*
Oft gibt es in den Entwicklungsländern auch Überschwemmungen.	*There are often floods in the developing nations, too.*
Auch solche Katastrophen verursachen Armut.	*Such catastrophes also cause poverty.*

Was sollten die Industrieländer tun, um die Armut in der Welt zu beseitigen?	***What should the industrial countries do in order to wipe out poverty in the world?***
Der Reichtum der Welt reicht aus, um alle Bewohner der Erde zu ernähren.	*The wealth of the world is sufficient to feed all the inhabitants of the earth.*
Trotzdem verhungern und verdursten Menschen.	*Still people are dying of hunger and thirst.*
Wir müssen zuerst die Schulden der Entwicklungsländer tilgen.	*Firstly, we must wipe out the debts of the developing nations.*
Das wäre ein erster und wichtiger Schritt.	*That would be a first and important step.*
Ein schuldenfreies Land kann die Armut leichter bekämpfen.	*A debt-free country can more easily fight poverty.*
Die reichen Länder sollten den armen Ländern auch einen besseren Preis für ihre Produkte bezahlen.	*The rich countries should also pay the poor countries a better price for their products.*
Mehr Entwicklungshilfe ist nötig.	*More development aid is necessary.*
Geld allein ist jedoch nicht genug.	*Sending money alone is not enough, however.*
Wir müssen den Ländern helfen, selbständig zu werden.	*We must help the countries to become independent.*
Wir müssen die Bildung und die Landwirtschaft verbessern.	*We must improve education and agriculture.*
Diese Länder brauchen Fachkräfte und Berater.	*These countries need experts and advisors.*

Viele Rockstars und berühmte Popsänger setzen sich für die Armen in den Entwicklungsländern ein. Wie finden Sie das?	***Many rock stars and famous pop singers give of themselves for the poor in the developing countries. What do you think of that?***
Weltbekannte Sänger und Gruppen bemühen sich, die Armut in der Welt zu bekämpfen.	*Well-known singers and groups are trying to fight poverty in the world.*
Sie haben viel Einfluss.	*They have a lot of influence.*
Sie werden von vielen jungen Leuten bewundert.	*They are admired by a lot of young people.*
Die Politiker der reichsten Länder haben viel Macht.	*The politicians of the richest countries have a lot of power.*
Das Wohlstandsgefälle zwischen den Industrie- und den Entwicklungsländern muss verringert werden.	*We have to reduce the economic divide between the industrial and the developing countries.*

Ferien (*Holidays*)

Beschreiben Sie, was Sie auf dem Bild sehen.	***Describe what you see in the picture.***

Ich sehe einen überfüllten Strand. — *I see an overcrowded beach.*

Viele Leute sitzen oder liegen am Strand und sonnen sich. — *Many people are sitting or lying on the beach and are sunbathing.*

Kinder spielen und bauen Sandburgen. — *Children are playing and making sand castles.*

Warum sind die Leute alle dort hingefahren?	***Why did all the people go there?***
Was hatten sie erwartet?	***What had they expected?***

Die Leute sind dort hingefahren, weil sie die See und die Sonne mögen. — *The people went there because they like the sea and the sun.*

Einige wollten vielleicht schön braun werden. — *Maybe some of them wanted to become nicely tanned.*

Ausflüge zum Meer sind sehr populär, besonders bei Familien mit Kindern. — *Trips to the sea are very popular, especially among families with children.*

Die Leute hatten Sonne, Sand und See erwartet. — *The people had expected sun, sand and sea.*

Ich nehme an, sie hatten auch Ruhe erwartet. — *I presume they had also expected quiet/peace.*

Wo machen Sie gern Urlaub? Haben Sie vielleicht einen Lieblingsurlaubsort?	***Where do you like to holiday? Have you perhaps a favourite holiday place?***
Ich mache gern Winterurlaub.	*I like winter holidays.*
Ich bin sehr sportlich und habe zweimal Skiurlaub in Österreich gemacht.	*I'm very sporty and I went skiing in Austria twice.*
Mir gefällt auch die österreichische Landschaft. Die ist wunderschön.	*I also like the Austrian scenery. It's beautiful.*
Im Sommer gehe ich gern zum Strand und ich schwimme gern.	*In the summer I like going to the beach and I like swimming.*
Ich habe eigentlich keinen Lieblingsurlaubsort.	*Actually, I don't have a favourite holiday place.*
Ich mag es aber, wenn die Natur relativ unberührt ist.	*But I like it when nature is relatively unspoilt.*

Geben Sie drei Gründe an, warum heute mehr Iren als früher im Ausland Urlaub machen.	***Give three reasons why today more Irish people than before holiday abroad.***
Es gibt mehrere Gründe, warum heute mehr Iren als früher im Ausland Urlaub machen.	*There are several reasons why today more Irish people than before holiday abroad.*
Die Iren haben mehr Geld als früher.	*The Irish have more money than they used to.*
Sie können sich das Reisen leisten.	*They can afford to travel.*
Es gibt mehr Konkurrenz in der Flugindustrie.	*There is more competition in the airline industry.*
Deshalb werden billigere Flüge angeboten.	*Therefore, there are cheaper flights on offer.*
Das irische Wetter ist nicht verlässlich.	*The Irish weather is not reliable.*
Es regnet zu viel, auch im Sommer.	*It rains too much, in summer as well.*
Die Mittelmeerländer bieten Sonne und Wärme!	*The Mediterranean countries offer sun and warmth!*
Das lockt viele Touristen an.	*That attracts a lot of tourists.*
Man kann sich auf gutes Wetter verlassen.	*You can be sure of good weather.*
Irland ist in letzter Zeit auch ziemlich teuer geworden.	*Ireland has also become quite expensive recently.*
Es ist nicht billig, in Irland Urlaub zu machen!	*It is not cheap to holiday in Ireland!*

Wohin fahren Jugendliche gern in Urlaub?
Viele Jugendliche bevorzugen einen Urlaub ohne Eltern. Warum? Nennen Sie zwei mögliche Gründe.

Where do young people like to go on holiday?
Many young people prefer a holiday without parents. Why? Mention two possible reasons.

Jugendliche fahren gern mit Interrail.
Es ist billig und man kann quer durch Europa fahren und mehrere Länder besuchen.
Skiurlaube mit Freunden sind auch sehr populär.
Im Sommer fahren viele Jugendliche gern in sonnige Länder.
Dort finden sie See, Sonne, Diskos und Restaurants.
Immer mehr Jugendliche reisen nach Asien.

Young people like to travel with Interrail.
It is cheap and you can go right across Europe and visit several countries.
Skiing holidays with friends are also very popular.
In the summer many young people like to go to sunny countries.
There they find sea, sun, discos and restaurants.
More and more young people are travelling to Asia.

Thailand ist ein sehr beliebtes Reiseziel.
Die Landschaft ist herrlich und die Unterkunft billig.
Man kann dort eine hochinteressante Kultur kennen lernen.

Thailand is a very popular travel destination.
The scenery is magnificent and the accommodation is cheap.
You can get to know a fascinating culture there.

Jugendliche bevorzugen einen Urlaub ohne Eltern, weil sie mit Freunden mehr Spaß haben können.
Eltern und Kinder haben unterschiedliche Interessen.
Sie wollen ihre Freizeit anders gestalten.

Young people prefer a holiday without parents because they can have more fun among friends.
Parents and children have different interests.
They want to organise their free time differently.

Jugendliche wollen auch von den Eltern unabhängig sein.
Sie wollen selber entscheiden, was sie machen, ohne um Erlaubnis fragen zu müssen.

Young people also want to be independent of their parents.
They want to decide themselves what to do without having to ask permission.

Die Umwelt (*The environment*)

Was sind Ihrer Meinung nach heute die größten Umweltprobleme in der Welt?	***What, in your opinion, are the biggest environmental problems in the world today?***

Meiner Meinung nach ist das größte Problem der Klimawandel.	*In my opinion, the biggest problem is climate change.*
Die Erde wird wärmer.	*The earth is becoming warmer.*
Die weltweite Durchschnittstemperatur ist in den letzten Jahrzehnten gestiegen.	*The worldwide average temperature has risen in recent decades.*
Gletscher schmelzen. Der Meeresspiegel steigt.	*Glaciers are melting. The sea level is rising.*
Wüsten breiten sich aus.	*Desert areas are spreading.*
Milde Winter werden die Regel sein.	*Mild winters will be the norm.*
Die Zahl der Autos nimmt ständig zu.	*The number of cars is constantly increasing.*

Es gibt Qualm aus Schloten und Auspuffrohren.	*There is smoke from chimneys and exhaust pipes.*
Die Folge ist der Treibhauseffekt.	*The result is the greenhouse effect.*
Wir haben Luft- und Wasserverschmutzung.	*We have air and water pollution.*
Gifte aus Chemieanlagen und Haushalten verseuchen Wasser und töten Fische.	*Poisons from chemical plants and households contaminate water and kill fish.*
Wir haben immer mehr Hausmüll und die Mülldeponien werden größer.	*We have more and more domestic waste and the rubbish tips are getting bigger.*
Saurer Regen macht viele Bäume krank.	*Acid rain is harming many trees.*
In den letzten dreißig Jahren sind viele Tropenwälder vernichtet worden.	*In the last thirty years many tropical forests have been destroyed.*
Ich finde es empörend, dass das Abholzen des Regenwaldes zu industriellen Zwecken ohne Rücksicht auf die Folgen weitergeht.	*I think it's outrageous that the clearing of the rain forest for industrial purposes is continuing without consideration of the consequences.*

Welche möglichen Lösungen gibt es? ***What are the possible solutions?***

Wir müssen die Umweltverschmutzung bekämpfen.	*We have to fight environmental pollution.*
Wir könnten das Abfallproblem vermeiden, indem wir Dinge wiederverwerten.	*We could avoid the problem of waste by recycling.*
Man sollte auch möglichst umweltfreundliche Energiequellen nutzen, zum Beispiel Wind- und Sonnenenergie.	*As far as possible we should use environmentally friendly energy sources, such as wind and solar energy.*
Man braucht dazu aber viel Wind und viel Sonne!	*However, you need a lot of wind and a lot of sun for that!*
Vielleicht werden wir in Zukunft nur solarbetriebene Autos haben!	*Maybe in the future we'll have only solar-powered cars!*
Einige Leute behaupten, dass Kernkraft eine gute Lösung sei.	*Some people maintain that nuclear energy is a good solution.*
Ich bin nicht davon überzeugt.	*I'm not convinced of that.*
Kernkraft ist sauber und produziert kein CO_2.	*Nuclear power is clean and does not produce any* CO_2.
Die Risiken sind aber zu groß.	*But the risks are too great.*
Ein Unfall in einem Kernkraftwerk wäre eine Katastrophe.	*An accident in a nuclear power station would be a catastrophe.*
Die Entsorgung von radioaktivem Müll ist auch ein Problem.	*The disposal of nuclear waste is also a problem.*
Wir sollten mit der Abholzung aufhören und die Wälder retten.	*We should stop deforestation and rescue the forests.*

Wie umweltbewusst sind Ihrer Meinung nach die Iren?	***How environmentally aware are the Irish in your opinion?***
Die Iren sind in letzter Zeit umweltbewusster geworden.	*The Irish have recently become more environmentally aware.*
Aber ich glaube, sie sind noch nicht so umweltbewusst wie andere Europäer.	*But I don't think they are yet as environmentally aware as other Europeans.*
Wir müssen eine Steuer für Plastiktüten bezahlen.	*We have to pay a tax on plastic bags.*
Das ist sinnvoll, finde ich, denn weniger Iren benutzen nun Plastiktüten.	*That is sensible, I think, because fewer Irish people now use plastic bags.*
Sie verstehen, dass sie umweltfeindlich sind.	*They understand that they are bad for the environment.*
Mehr Leute kaufen jetzt wiederverwertbare Sachen, wenn sie einkaufen gehen.	*More people are now buying recyclable things when they go shopping.*
Irische Schüler sind auch umweltbewusst.	*Irish pupils are also environmentally aware.*
Sie kaufen manchmal recyceltes Papier.	*They sometimes buy recycled paper.*
Mehr irische Familien sortieren ihren Hausmüll.	*More Irish families sort their domestic waste.*
Sie haben verschiedene Mülltonnen für verschiedene Abfälle.	*They have different bins for different waste products.*
Iren gehen nun häufiger zur Recyclinganlage.	*Irish people are going more frequently to the recycling centre now.*
Sie geben Flaschen, Dosen, Zeitungen und alte Kleider ab.	*They bring bottles, cans, newspapers and old clothes.*

Machen Sie drei Vorschläge, wie sich jeder umweltfreundlicher verhalten kann. Was tun Sie für die Umwelt?	***Suggest three ways in which every person can behave in a more environmentally friendly way. What do you do for the environment?***
Wir können alle Energie sparen.	*We can all save energy.*
Man könnte in jedem Haus und Büro Energiesparlampen benutzen.	*We could use energy-saving lights in every house and office.*
Wir könnten alle unsere Häuser weniger heizen oder bessere Wärmedämmung installieren.	*We could all heat our houses less or have better insulation.*
Um die Zahl der Autofahrten zu reduzieren, könnten wir öfter mit dem Fahrrad, dem Bus oder der Bahn fahren.	*To reduce the number of car journeys we could travel more often by bike, bus or rail.*
Man könnte ein Elektroauto fahren.	*One could drive an electric car.*

Elektroautos sind sauber und umweltfreundlich.	*Electric cars are clean and eco-friendly.*
Elektroautos stoßen keinerlei Abgase aus.	*Electric cars don't emit any exhaust fumes at all.*
Deshalb gibt es weniger Luftverschmutzung.	*So there is less air pollution.*
Keine umweltschädlichen Abgase mehr – das ist sicher gut für die Umwelt.	*No more environmentally harmful exhaust fumes – that is certainly good for the environment.*
Zu Fuß gehen hilft der Umwelt und ist gesund.	*Walking helps the environment and is healthy.*
Beim Einkaufen könnte jeder Plastiktüten und unnötige Verpackung meiden.	*When shopping each person could avoid plastic bags and unnecessary packaging.*
Wir könnten alle unseren Müll trennen und mehr Sachen wiederverwerten.	*We could all separate our waste and recycle more things.*
Heute kauft man immer mehr Kaffee zum Mitnehmen, weshalb überall aus den Mülleimern Kaffeebecher quellen.	*Today we are buying more and more coffee to take away, hence coffee cups are sticking out of rubbish bins everywhere.*
Man sollte lieber Mehrwegbecher benutzen.	*Preferably one should use reusable cups.*
Mehrwegbecher sind besser für die Umwelt als Einwegbecher/Wegwerfbecher.	*Reusable cups are better for the environment than disposable cups.*
Alle Becher sollten recycelbar sein.	*All cups should be recyclable.*
Becher, die zu hundert Prozent aus Pappe bestehen, können wiederverwertet werden.	*Cups that are one hundred percent cardboard can be recycled.*
Ich kaufe möglichst nur umweltfreundliche Sachen.	*As far as possible I buy only environmentally friendly products.*
Ich gehe lieber zu Fuß in die Stadt.	*I prefer to walk to town.*
Ich bringe oft Sachen zur Recyclinganlage.	*I often bring things to the recycling centre.*
Ich interessiere mich für den Umweltschutz.	*I am interested in the protection of the environment.*
Ich bin Mitglied eines Umweltschutzvereins.	*I am a member of an environment protection society.*

Past exam questions: Topical writing

2015

Schauen Sie sich das Foto genau an.

- Beschreiben Sie in **drei bis vier** Sätzen, was Sie auf dem Bild sehen.
- Europaweit wird das Fahrrad zu einem immer beliebteren Verkehrsmittel. Nennen Sie **zwei** mögliche Gründe für diesen Trend. Welche Verkehrsmittel benutzen Sie in Ihrem Leben am meisten? Erklären Sie Ihre Gründe dafür.
- In Deutschland gibt es viele „fahrradfreundliche" Städte – wie sieht die Situation in Irland aus? Sind Radtaxis in Städten eine gute Idee? Begründen Sie Ihre Meinung.
- Autofreie Tage in Irland – was halten Sie von dieser Idee? Was könnte man auf autofreien Straßen und Plätzen organisieren, um Tage ohne Autos zu feiern? Machen Sie **zwei** Vorschläge.
- Warum ist ein aktiver Lebensstil für uns heute wichtiger denn je? Erklären Sie Ihre Meinung. Sollte Sport in der Schule Pflichtfach sein? Nennen Sie **zwei** Gründe warum/warum nicht.

(Write approximately **160 words.**)

Sample answer 1

1

Man sieht mehrere Fahrradfahrer. Es ist vielleicht Sommer – die Fahrradfahrer tragen leichte Kleidung und einige haben eine Sonnenbrille. Andere haben Rucksäcke dabei. Vielleicht fahren sie zur Arbeit.

Das Fahrradfahren ist offenbar sehr populär. Ich glaube, es gibt zwei mögliche Gründe dafür. Viele Leute wollen gesünder leben und fit sein, und Fahrradfahren ist gesund. Wir sind heute auch sehr umweltbewusst. Fahrradfahren ist umweltfreundlicher als Autofahren. Ich fahre oft mit dem Bus, weil die Busverbindungen in meiner Stadt sehr gut sind. Die Busfahrkarten sind auch ziemlich billig. Wenn ich eine lange Fahrt mache, fahre ich mit dem Zug. Der Zug ist schnell und bequem.

Leider haben wir nicht genug fahrradfreundliche Städte in Irland. Wir bräuchten viel mehr Radwege. Ich würde öfter mit dem Fahrrad fahren, wenn wir mehr Radwege hätten. Radtaxis sind eine tolle Idee. Mit einem Fahrradtaxi kann man eine Stadt entdecken. Man kann jederzeit fotografieren, wenn man dazu Lust hat. Ein Radtaxi ist auch wendiger* als ein normales Taxi und kommt vielleicht schneller ans Ziel.

Autofreie Tage in Irland sind eine sehr gute Idee. Die Straßen sind ruhiger und sicherer. Es gibt auch keine Autoabgase. Was könnte man auf autofreien Straßen und Plätzen organisieren? Man könnte vielleicht ein Konzert veranstalten. Das würde sicher Spaß machen und wäre eine tolle Chance für junge talentierte Musiker. Man könnte auch einen Flohmarkt organisieren. Das macht auch Spaß und man kann alles Mögliche auf einem Flohmarkt kaufen.

Ein aktiver Lebensstil ist heute wichtiger denn je. Wir haben seit einiger Zeit immer mehr übergewichtige Menschen. Das liegt an unserm Lebensstil – wir essen zu viel und treiben nicht genug Sport. Deshalb müssen wir etwas für unsere Gesundheit tun. Ich glaube, dass Sport in der Schule Pflichtfach sein sollte. Schüler sitzen lange im Klassenzimmer, denn die Unterrichtsstunden dauern je vierzig Minuten. Im Sportunterricht muss man sich bewegen und das ist wichtig für die Gesundheit. Nicht alle Schüler treiben Sport als Hobby. Sie ziehen ihre Handys vor! Wenn Sport nicht Pflicht wäre, würden sich viele junge Leute kaum bewegen.

* wendiger *more nifty*

Sample answer 2

2 Viele der abgebildeten Leute sind mit dem Fahrrad unterwegs. Sie sind in der Stadt. Man sieht mehrere Gebäude und ein paar Autos im Hintergrund. Sie fahren wahrscheinlich auf Radwegen.

Ich denke, das Fahrrad ist aus zwei Gründen sehr beliebt geworden. Erstens ist man heute sehr gesundheitsbewusst. Viele Leute fahren lieber mit dem Fahrrad, weil es gesund ist. Zweitens gibt es heutzutage mehr Radwege als früher. In den Städten, wo es gute Radwege gibt, sind die Radfahrer manchmal schneller als die Autofahrer unterwegs! Man vermeidet außerdem Staus. Ich fahre gern Rad. Das Radfahren macht mir Spaß und ich bin gern im Freien. Ich fahre auch mal mit dem Auto. Ich habe gerade den Führerschein gemacht und das Auto ist sehr praktisch.

In Irland ist die Situation besser als früher, was die Fahrradwege betrifft. In den letzten fünf Jahren hat man in den Städten mehr Fahrradwege angelegt. Obwohl Irland nicht so viele Radwege wie Deutschland hat, gehen wir in die richtige Richtung. Radtaxis haben meiner Meinung nach Vor- und Nachteile. Ein Radtaxi ist eine gute und umweltfreundliche Alternative zum normalen Taxi und die Fahrten sind günstig. Leider sind sie aber nur im Sommer unterwegs, und in Großstädten, wo es viel Verkehr gibt, sind sie manchmal gefährlich.

Autofreie Tage in Irland – das wäre eine ausgezeichnete Idee. Fußgänger und Radfahrer könnten in aller Ruhe die Stadt genießen und wir würden ein paar Tage die Umwelt schonen. Man könnte Veranstaltungen auf den nicht befahrenen Plätzen und Straßen organisieren. Ein Musikfest wäre prima. Man könnte Musikanten aus verschiedenen Ländern einladen und ein multikulturelles Event genießen. Man könnte auch einen Marathonlauf organisieren. Das macht immer Spaß.

Ein aktiver Lebensstil ist heute sicher wichtiger denn je. Viele Leute fahren jeden Tag mit dem Auto zur Arbeit. Viele Schüler fahren auch mit dem Auto zur Schule. Immer weniger Leute laufen. Wir verlassen uns zu sehr auf das Auto. Deshalb werden wir unfit und krank. Wir müssen einfach aktiver werden. Ich bin der Meinung, dass Sport kein Pflichtfach sein sollte. Nicht alle Schüler sind sportlich und der Sportunterricht macht ihnen keinen Spaß. Sport sollte Wahlfach sein. Außerdem gibt es viele Gelegenheiten außerhalb der Schulzeit, Sport zu treiben. Junge Leute sollten selbst entscheiden, welchen Sport sie machen möchten. Ohne Verpflichtung!

2016

(b) Schauen Sie sich das Foto genau an.

- Beschreiben Sie in **vier** Sätzen, was Sie auf dem Bild sehen.
- Studenten haben oft Probleme, eine Unterkunft zu finden. Nennen Sie **zwei** Gründe, warum das so ist. Machen Sie **zwei** Vorschläge, wie man dieses Problem lösen könnte.
- Für die Urlaubsreise im Internet ein Privatzimmer oder eine Privatwohnung zu buchen: Millionen Menschen finden diese Idee attraktiv. Warum ist das so? (**Zwei** Sätze) Welche negativen Erfahrungen kann man bei der Internet-Vermietung machen? Nennen Sie **zwei**.
- *„Teilen ist das neue Haben"* ist das Motto einer deutschen Internet-Plattform. Sie folgt dem Trend der *Sharing Communities*, die weltweit immer mehr Mitglieder finden. Beschreiben Sie **zwei** Aktionen, die man über solche Plattformen organisieren kann. Nennen Sie **zwei** Gründe, warum Teilen und Leihen plötzlich so populär sind.
- Welche sozialen Netzwerke halten Sie persönlich für besonders gut und nützlich? Geben Sie **zwei** Beispiele an und erklären Sie Ihre Wahl. Beschreiben Sie **zwei** Netzwerke, die Sie negativ finden und begründen Sie Ihre Kritik in **zwei** Sätzen.

(Write approximately **160 words**.)

Sample answer 1

1

Ich sehe zwei junge Leute, die gerade in eine Wohnung eingezogen sind. Sie haben ihr Gepäck dabei. Das Zimmer sieht unordentlich und ein bisschen schäbig aus. Es gibt keine Vorhänge und die Möbelstücke sind alt.

Studenten haben oft Probleme, eine Unterkunft zu finden. So viele Studenten suchen jedes Jahr eine Unterkunft und es gibt nicht genug Wohnungen. Die meisten Universitäten liegen in den Großstädten und da genau ist das Problem am akutesten. Die Nachfrage ist sehr groß. Ein anderes Problem ist die Miete. In den letzten Jahren sind die Mietpreise gestiegen und Studenten haben nicht viel Geld. Es gibt zwei Lösungen hierfür. Erstens müsste man dringend mehr Studentenwohnheime bauen. Zweitens sollte die Regierung die Mietpreise kontrollieren.

Viele Leute buchen eine Privatwohnung über das Internet, wenn sie ihren Urlaub planen. Die Idee ist attraktiv, weil es viel billiger als über ein Reisebüro ist. Es ist auch schnell und einfach. Bei der Anmietung im Internet kann man aber auch negative Erfahrungen machen. Man kennt den Vermieter nicht und kann ihm daher nicht immer trauen. Man bucht eine Wohnung und findet später heraus, dass es die Wohnung gar nicht gibt! Oder man sieht schöne Bilder der Wohnung im Internet, aber wenn man ankommt, ist die Wohnung nicht so toll. Die Information war falsch.

„Teilen ist das neue Haben." Couchsurfing ist eine Aktion, die sehr erfolgreich ist. Junge Leute machen das besonders gern. Man bietet online eine kostenlose Schlafgelegenheit an. Es gibt tausende von Mitgliedern, die davon profitieren. Man kann auch online Kleider tauschen. Teilen und Leihen sind so populär, weil sie sinnvoll und billig sind. Muss man sich wirklich alles kaufen, auch wenn es nur selten gebraucht wird? Ein Abendkleid zum Beispiel ist wahnsinnig teuer. Es ist viel besser, eins zu leihen. Couchsurfen ist kostenlos und manchmal entwickeln sich dabei echte Freundschaften.

Ich finde *Facebook* und *Instagram* gut und nützlich. Ich mag besonders *Facebook.* Ich habe einen großen Freundeskreis und man kann mit seinen Freunden immer in Kontakt bleiben. Ich mag auch *Instagram*, weil man sehr schnell mit Freunden Fotos teilen kann. Ich finde *Twitter* nicht so gut, weil es manchmal sehr umstritten* ist. Es gibt immer mehr Hass-Tweets auf *Twitter* und viele Leute sind Opfer von Drohungen und Trollen. Ich finde *Snapchat* auch nicht besonders gut. Es ist relativ zeitaufwändig* und man kann süchtig werden!

* zeitaufwändig *time-consuming*
* umstritten *controversial*

Sample answer 2

2 Man sieht zwei junge Menschen in einer Wohnung. Sie haben eine Reisetasche und sehen sich die Wohnung genau an. Die junge Frau zeigt auf das Fenster – es hat keinen Vorhang. Das Zimmer ist dunkel und unordentlich und die Möbelstücke sind altmodisch.

Studenten haben oft Probleme, eine Unterkunft zu finden. Privatwohnungen sind im Moment sehr teuer und Studenten haben wenig Geld. Sie finden es schwer, eine preiswerte Unterkunft zu finden. Da die Studenten auch lange Sommerferien haben, suchen sie eine Unterkunft nur für die Semesterzeit. Das ist problematisch, weil Vermieter das ganze Jahr über vermieten wollen. Um das Problem zu lösen, sollte man preiswerte Wohnungen bauen. Vielleicht könnten Studenten auch bei Familien unterkommen. Familien, deren Kinder nicht mehr zu Hause wohnen, könnten ein freies Zimmer vermieten. Die Miete wäre dann auch günstiger.

Die Idee der Internetbuchung ist aus zwei Gründen attraktiv. Erstens findet man im Internet billige Angebote und zweitens gibt es zurzeit eine Menge Möglichkeiten, eine gute Unterkunft im Internet zu finden. Ein erfolgreiches Beispiel ist *Airbnb,* wo man schnell eine gute Unterkunft finden kann. Es gibt aber leider auch negative Erfahrungen. Wenn man online bucht, hat man meistens keine Versicherung. Wenn die Unterkunft schlecht ist und man nicht versichert ist, muss man Geld für eine andere Unterkunft ausgeben. Es besteht auch die Gefahr, dass der Vermieter ein Betrüger* ist und die Anzahlung, die man mit der Kreditkarte geleistet hat, gestohlen wird. Das Geld ist dann weg!

„*Teilen ist das neue Haben.*“ Ja, das stimmt. Eine solche Aktion ist die Mitfahrgelegenheit, in Irland *Carpool* genannt. Diese Plattform bietet die Gelegenheit, mit jemand anderem mitzufahren. Das kostet wenig Geld und schont die Umwelt. Eine andere Aktion ist das Sprachenlernen. Es gibt eine digitale Gemeinschaft, wo man die Chance hat, eine Sprache kostenlos zu lernen. Teilen und Leihen sind aus zwei Gründen populär. Man spart Geld, wenn man teilt. Das Konzept ist einfach und altruistisch.

Ich mag *Pinterest*. Es gibt hier schöne Bilder, die Pins genannt werden. Die Pins sind mit Weblinks versehen und man kann kreative Ideen und Interessen teilen. Das Netzwerk fördert die Kreativität. *Twitter* ist auch sehr gut und nützlich. Dort kann man seine Meinung zu aktuellen Themen äußern und die Meinungen vieler anderer Leute lesen. Das ist schnelllebig und eine tolle Kommunikationsmethode. *Instagram* ist meiner Meinung nach nicht so gut. Die Fotos sind zwar schön, aber man legt zu viel Wert auf das Äußere. Dadurch sehen sich junge Leute unter Druck, immer schön, schlank und fit zu sein. Ich finde *Facebook* eher negativ, weil Cybermobbing ein großes Problem ist. Junge Leute, die von Cybermobbing betroffen sind, fühlen sich hilflos und leiden unter Depressionen.

* Betrüger *swindler/defrauder*

2017

(b) Schauen Sie sich das Foto genau an.

- Beschreiben Sie in **vier** Sätzen, was Sie auf dem Bild sehen.
- Ein Interrail-Ticket für junge Europäer – diese Idee wird im EU-Parlament diskutiert. Zum 18. Geburtstag soll jeder Europäer einen *Free Interrail*-Gutschein bekommen. Was halten Sie von dieser Idee? Begründen Sie Ihre Meinung. In welches europäische Land würden Sie gerne fahren und warum?
- Im letzten Jahr haben in Deutschland 12 % weniger Jugendliche den Führerschein gemacht als im Jahr davor. Warum, glauben Sie, ist das so? Nennen Sie **zwei** mögliche Gründe. Wie sieht die Situation in Irland aus? Schreiben Sie **zwei** Sätze.
- *Wo Freunde sind, ist Zuhause.* Erklären Sie in **zwei** Sätzen Ihre Meinung zu diesem Satz. Welchen Effekt haben soziale Netzwerke auf Freundschaften? Und wie verbringen **Sie** Zeit mit Ihren Freunden?
- Seit Januar 2016 wird *Netflix* in Deutschland angeboten, aber nur wenige benutzen die Plattform. Wie populär sind Plattformen wie *Netflix* in Ihrer Altersgruppe? Beantworten Sie die Frage in **zwei** Sätzen. Spielen Kino und Fernsehen heute noch eine Rolle? Nennen Sie **zwei** Gründe, warum oder warum nicht.

(Write approximately **160 words**.)

Sample answer 1

1

Ich sehe drei junge Leute, die sehr froh aussehen. Sie tragen lockere Sommerklamotten und Rucksäcke. Sie sind am Bahnhof und wahrscheinlich gerade aus dem Zug ausgestiegen. Sie haben jetzt Ferien und reisen mit dem Zug in Urlaub.

Ich finde die Idee toll, dass jeder Europäer ein kostenloses Interrail-Ticket zum 18. Geburtstag bekommt. Das Zugfahren ist ziemlich teuer und Interrail-Fahren macht es billiger. Wenn junge Leute das Ticket bekommen, werden sie vielleicht in Zukunft öfter mit dem Zug fahren, außerdem ist Interrail eine tolle Gelegenheit, durch Europa zu reisen. Ich würde gern nach Deutschland oder Österreich fahren. Ich habe im Deutschunterricht viel über diese Länder gelernt und möchte mein Deutsch verbessern.

Warum haben im letzten Jahr in Deutschland weniger Jugendliche den Führerschein gemacht? Junge Deutsche sind normalerweise sehr umweltbewusst und meinen, es sei umweltfreundlicher, mit dem Zug oder dem Bus zu fahren. Oder vielleicht ist der Führerschein zu teuer geworden. Viele junge Leute sind Studenten und haben nicht so viel Geld. Meiner Meinung nach ist die Situation in Irland umgekehrt! Immer mehr Jugendliche wollen den Führerschein gleich mit siebzehn Jahren machen. Viele sind dann noch auf der Schule.

Wo Freunde sind, ist Zuhause. Diese Aussage trifft meiner Meinung nach zu. Wenn man Freunde hat, verbringt man gern Zeit mit ihnen und deswegen ist es schön und praktisch, wenn sie in der Nähe wohnen. Soziale Netzwerke haben Vor- und Nachteile. Einerseits sind sie sehr praktisch und einfach. Man kann mit seinen Freunden immer in Kontakt bleiben, egal wo sie sind. Andererseits treffen sich Freunde seltener als früher. Das ist schade. Ich treffe meine Freunde im Café oder im Sportzentrum. Ich spiele Badminton mit ihnen und ich gehe gern mit ihnen ins Konzert.

In Irland ist *Netflix* sehr populär in meiner Altersgruppe. Wir sehen gern Serien und Filme an, die man sonst nicht sehen könnte. Auch Kino und Fernsehen spielen heute noch eine Rolle. Natürlich sind sie nicht so populär wie früher, weil das Internet einen starken Einfluss auf unsere Unterhaltung hat. Aber fast jede Familie hat einen Fernseher zu Hause und viele Leute gehen immer noch ins Kino, um die neuesten Filme auf der Großleinwand zu sehen.

Sample answer 2

2 Auf dem Bild sieht man einen Bahnhof und einen Zug. Im Vordergrund sieht man drei junge Leute. Sie haben Gepäck und fahren mit dem Zug. Sie freuen sich wahrscheinlich auf einen Urlaub zusammen.

Die Idee eines kostenlosen Interrail-Tickets zum achtzehnten Geburtstag finde ich wunderbar. Ich möchte dieses Ticket auf jeden Fall! Das Interrail-Fahren bietet seit vielen Jahren eine relativ billige Reisemöglichkeit für junge Leute. Das Ticket ist eine tolle Motivation, mit achtzehn Jahren eine Interrail-Reise zu unternehmen. Ich würde gern nach Italien fahren. Das Wetter ist im Sommer gut, das italienische Essen schmeckt mir und ich möchte historische Städte wie Rom, Venedig und Florenz besichtigen.

Ich finde es interessant, dass letztes Jahr weniger deutsche Jugendliche den Führerschein gemacht haben. Vielleicht liegt es daran, dass Jugendliche heutzutage für andere Sachen sparen, zum Beispiel für die neusten Handys oder Tablets. Außerdem ist der Nahverkehr in deutschen Großstädten so gut, dass ein Auto überflüssig ist. In Irland machen in der letzten Zeit auch weniger junge Leute den Führerschein. Die Versicherung kostet einfach zu viel.

Wo Freunde sind, ist Zuhause. Ich bin mit dieser Aussage nicht einverstanden, ich würde eher sagen: *Wo Familie ist, ist Zuhause.* Freunde kann man überall haben, aber man wächst mit der Familie auf und das ist daher das Zuhause. Soziale Netzwerke haben einen positiven Effekt auf Freundschaften. Man kann einen richtigen Freundeskreis online aufbauen und das ist schön. Viele Teenager geben an, dass sie dank den Netzwerken selbstbewusster und extrovertierter geworden sind. Ich verbringe viel Zeit mit meinen Freunden. Ich treffe sie in der Schule und am Wochenende. Wir gehen zusammen einkaufen oder ins Theater.

Netflix und ähnliche Plattformen sind unheimlich populär in Irland, auch in meiner Altersgruppe. *Netflix* bietet eine große Auswahl an Filmen und Serien und das monatliche Abo ist günstig. Immer mehr Jugendliche sehen Filme online und gehen nicht mehr so häufig ins Kino. Das Kino spielt daher eine geringere Rolle als früher. Plattformen wie *Netflix* und *Amazon* setzen das traditionelle Fernsehen unter Druck. Das Fernsehen spielt immer noch eine Rolle, aber es muss sich mit der Zeit verändern.

2018

(b) Schauen Sie sich das Foto genau an.

- Beschreiben Sie in **vier** Sätzen, was Sie auf dem Foto sehen.
- Wie hat die digitale Technologie unser Leben verändert? Beantworten Sie die Frage in **zwei** Sätzen. Wie finden Sie diese Veränderungen? Warum? Schreiben Sie **zwei** Sätze.
- Man sagt: Familie ist da, wo Kinder sind – vor fünfzig Jahren hieß das: Vater, Mutter, Kinder. Kann Familie heute auch anders definiert werden? Schreiben Sie **zwei** Sätze dazu. Alt und Jung lebten früher zusammen. Wie ist das heute in Irland? Und wie ist es in Ihrer Familie?
- Ist die Jugend von heute die Generation *„Kopf unten"*, weil sie immer auf ihre Smartphones starrt? Was ist Ihre Meinung dazu? (**zwei** Sätze)

  In Deutschland müssen Autofahrer 60 € und Radfahrer 25 € Geldstrafe zahlen, wenn sie beim Fahren ihr Handy benutzen. Was halten Sie davon? (**zwei** Sätze)
- Mit einer Smartphone-App in drei Wochen eine neue Sprache lernen – wie finden Sie das? Schreiben Sie **zwei** Sätze dazu. Wie könnte das Online-Learning an Schulen eine größere Rolle spielen? Machen Sie **zwei** Vorschläge dazu.

(Write approximately **160 words**.)

Sample answer 1

1

Eine Familie sitzt am Tisch – Mutter, Vater und Sohn. Sie starren alle auf einen Bildschirm. Der Vater hat einen Laptop. Die Mutter hat ein Tablet und der Sohn hat ein Handy. Die drei sehen sehr konzentriert aus und sprechen nicht miteinander.

Die digitale Technologie hat unser Leben in vieler Hinsicht verändert. Mit einem Smartphone oder Tablet kann man zum Beispiel E-Mails schicken und empfangen. Wegen der integrierten Kamera kann man heute auch tolle Fotos machen. Ich finde diese Veränderungen super. Man kann jederzeit mit Freunden kommunizieren und das ist sehr praktisch. Ich mag auch die tollen Fotos, die sehr schnell und billig sind.

Heute kann Familie etwas anders definiert werden. Erstens existiert heute in vielen Ländern die gleichgeschlechtliche Ehe*. Zweitens gibt es viele alleinerziehende Eltern*, die aus verschiedenen Gründen keinen Partner haben. Heute in Irland leben weniger Eltern oder Großeltern mit ihren Kindern oder Enkelkindern zusammen. Früher wohnten die Großeltern im Familienheim. Heute wohnen sie allein oder in einem Altersheim. In meiner Familie wohnt unsere Oma noch bei uns und das ist toll.

Ja, die Jugend von heute hat den Kopf unten. Jugendliche starren immer auf ihre Smartphones, egal wo sie sind. Man sieht junge Leute überall mit Smartphones – zu Hause, auf der Straße, im Bus oder im Zug. In Irland gibt es auch Geldstrafen, wenn Autofahrer beim Fahren ihr Handy benutzen. Ich finde das richtig, denn es ist sehr gefährlich. Wenn man beim Fahren das Handy benutzt, kann man sich nicht richtig konzentrieren, und das könnte einen Unfall verursachen.

Man kann vielleicht in drei Wochen eine neue Sprache lernen, aber es ist unmöglich, die Sprache in so kurzer Zeit fließend zu erlernen. Man müsste eine Zeitlang im Ausland verbringen, um die Sprache richtig zu beherrschen. Das Online-Learning könnte an Schulen eine größere Rolle spielen. Zum Beispiel könnten Schüler, wenn sie Projektarbeit machen, mit ihren Computern selbst recherchieren. Man sollte auch mehr Informatikstunden in den Stundenplan aufnehmen, damit Schüler ihre Computerkompetenz verbessern können.

*gleichgeschlechtliche Ehe — *same-sex marriage*
*alleinerziehende Eltern — *lone parents*

Sample answer 2

2 Auf dem Bild sieht man zwei Erwachsene und ein Kind. Der Mann hat seinen Laptop, das Kind hat ein Smartphone und die Frau hat ein Tablet. Alle drei konzentrieren sich auf ihr Gerät. Sie sind total in sich versunken.

Die digitale Technologie hat unser Leben sehr verändert. Smartphones und Tablets bieten endlose Möglichkeiten – man kann Fahrkarten buchen, Musik herunterladen, SMS schicken und vieles mehr. Das E-Book ersetzt allmählich das Papierbuch. Natürlich finde ich diese Veränderungen sehr gut, weil man heute alles so schnell erledigen kann. Es gibt aber auch Nachteile, zum Beispiel Cybermobbing und Computersucht.

Das traditionelle Familienbild hat sich in den letzten Jahrzehnten stark verändert. Kinder stammen aus Familien, wo es nicht unbedingt zwei Elternteile gibt. Weniger Leute heiraten heute und oft werden Kinder von einem Elternteil erzogen. Heutzutage in Irland wohnen weniger alte Leute mit ihren Familien zusammen. Viele sind selbständig und nicht auf ihre Kinder angewiesen. Meine Großeltern sind sehr gesund und wohnen in ihrem eigenen Haus.

Fast alle Jugendlichen haben heute ein Smartphone, aber ich bin nicht der Meinung, dass wir immer den Kopf unten haben. Junge Leute von heute sind auch sportlich, musikalisch, unternehmungslustig und viele haben Nebenjobs. Es ist natürlich sehr gefährlich, wenn man beim Fahren ein Handy benutzt. In solchen Fällen sollte man eine Geldstrafe zahlen müssen.

Mit einer Smartphone-App in drei Wochen eine neue Sprache lernen – ich finde die Idee wahnsinnig! Aber ich würde es gern versuchen, um die langweiligen Stunden in der Schule zu vermeiden! Wie kann das Online-Learning an Schulen eine größere Rolle spielen? Die Schulen sollten mehr Informatikstunden anbieten. Mehr selbständiges Lernen wäre eine gute Idee, man könnte dann in seinem eigenen Tempo lernen*.

*in seinem eigenen Tempo lernen *to learn at one's own pace*

It is very important to **go back over every single sentence** in your written tasks ('Äußerung zum Thema' and 'Schriftliche Produktion') and **correct your mistakes**. Refer to the grammar checklist at the beginning of this section (page 139).

6 Listening Comprehension (Aural)

- To improve your understanding of spoken German.
- To be able to approach your Listening test with confidence.

The **Listening Comprehension** section is worth 80 marks (20% of the total).

The Listening Comprehension exam tests your ability to understand **spoken** German. It takes place just after the written paper and lasts approximately **40 minutes**.

There are **four** parts in the Listening test. They include:

- an **interview** with a German-speaking person
- a **telephone message**
- a **dialogue**
- a **news bulletin**, which usually includes a **weather report**

Each part is played **three** times.

Obviously, the best way to prepare for the Listening test is to hear lots of German.

If you have no contact with native speakers, you should use every opportunity to listen to German on radio, such as 'Deutsche Welle' (also accessible via www.dw-world.de), German television channels, such as ARD and ZDF (if you have access to German television), German films and CDs of past examinations.

While the questions on the interview and the news bulletin require factual information, the questions on the phone message and the dialogue also require a particular technique in answering. To this end, you will find guided answers to parts two and three.

REMEMBER:

1. Read the instructions on your paper carefully. You will hear 'Lesen Sie jetzt bitte die Fragen zu Teil I, II ...' Use this time wisely and then give the CD your full concentration.

2. Do not panic if you miss a piece of information on the first or even the second hearing. The parts are played three times.

3. Do not leave any blanks. If you don't know an answer after the third hearing, make an intelligent guess. You could be right!

4. Use the full line provided when answering. You do not necessarily have to answer in full sentences, but make sure your points are clear and legible.

5. In all parts of the Listening test, check that you have given the correct details, the correct number of details and that they have been written in the correct space.

First part: Interview

In this part there is an interview with a German-speaking person. It might be about a career path, a project, an organisation or a particular problem.

Included in past examinations have been interviews with:

- a person who works in a children's hospital
- a student involved in developing world projects
- a professional ballet dancer
- a fireman
- a person in search of accommodation
- a director of a charitable organisation
- a school caretaker
- a sociology student

In the exam the interview is played **three** times, the **second time** with **pauses**, to give you a chance to assimilate the information and write your answers.

The subject matter of this section is **wide** and **varied**. The more thorough your grasp of a **broad range of vocabulary** (available throughout the book), the more confident you will be in your answers.

Second part: Telephone message

There are two questions in this part. The first question asks you to write the message or key information in German. The second question asks for examples of language used by the speaker to express his or her feelings.

There has been a wide variety of phone messages in past examinations. They have included:

- a complaint to a party service
- a problem about a delivery of furniture
- an anxious call regarding participation in a stunt school
- a worried caller reporting an attack
- a call to the police by a person stuck in a lift
- a delighted call about a prize trip to Bali
- a complaint about a job
- a complaint about a reservation in a youth hostel
- a call to the German Rail Lost Property Office

The first task is to write the telephone message in German. You need not use full sentences. Key words are sufficient.

key point

You will lose marks here if you answer in English.

Teil II: Guided answer

(Transcripts for the guided answers can be found on pages 228–229)

In the **2017** exam, a restaurant owner makes a call regarding a booking.

Question 1

You are asked to write down in German the key information the recipient of the call puts in his note of the conversation (**key phrases, not full sentences**). The note should contain:

- the name of the caller
- the reason for the call
- details regarding further contact
- the caller's phone number

Make sure you know the **alphabet in German** as names of callers are usually spelt out. Pay particular attention to the vowels 'i' (pronounced 'ee') and 'e' (pronounced 'ay'). The mark awarded is **all or nothing**.

After you have written the name of the caller, you have to fill in the information she gives about the problem. Remember you don't need full sentences. **Key phrases** are required. The words *Geburtstagsfeier* and *Doppelbuchung* (birthday celebration and double booking) are key to the problem. The caller also suggests that the party be postponed (*verschieben*) until the next day (*auf den nächsten Tag*). If you make minor spelling errors in this section, don't worry. You will be awarded the marks if the spelling is close. It is important that the **information** you give is clear.

You then tick the box that indicates the next step for the caller.

Finally you give the **telephone number** of the caller, including the code *(Vorwahl)*.

Know your **numbers in German**! As with the alphabet, the mark awarded is **all or nothing**.

Solution to Question 1

The answers are in handwriting type and the marks awarded are shown in red bold type and in brackets.

Gesprächsnotiz	
Anruf von: *HALLHUBER* **(2, all or nothing)**	
Problem: *Geburtstagsfeier/Feier, Doppelbuchung* **(1)** *Sonntag, 28. Juli statt Samstag, 27. Juli* **(1)**	
Die Anrufer/in:	
• wird heute Abend eine E-Mail schicken.	☐
• erhält bis zum Ende des Tages einen Rückruf. **(2)**	☑
• hat für nächsten Sonntag ein Treffen vereinbart.	☐
• ruft bis zum 27. Juli zurück.	☐
Kontaktnummer: (Vorwahl) *0165* (Rufnummer) *35 99 722* **(2, all or nothing)**	

You should be familiar with the following phrases. They indicate the steps that can be taken with regard to the caller.

Anrufer/in ...	*Caller ...*
erhält einen Rückruf.	*will receive a call back.*
erhält so schnell wie möglich einen Rückruf.	*will receive a return call as soon as possible.*
ruft in 20 Minuten zurück.	*will call back in 20 minutes.*
wird zurückrufen.	*will call back.*
erwartet einen Rückruf.	*is expecting a call back.*
wird e-mailen/eine E-Mail schicken.	*will email.*
erwünscht einen Rückruf.	*would like a call back.*
möchte ein Treffen.	*would like a meeting.*
wird morgen zurückgerufen.	*will be called back tomorrow.*
bittet um einen Termin.	*requests a meeting.*
wird sich wieder melden.	*will get in touch again.*
wird einen Anruf vom Chef persönlich erhalten.	*will receive a personal call from the boss.*
besteht auf einem Treffen.	*insists on a meeting.*
wird sich mit ... in Verbindung setzen.	*will contact ...*
kann erst morgen einen Anruf entgegennehmen.	*can't take a call until tomorrow.*

Some familiar time phrases

innerhalb der nächsten Stunde/Woche	*within the next hour/week*
im Laufe des Tages	*during the course of the day*
heute Abend	*this evening*
am Wochenende	*at the weekend*
morgen Nachmittag	*tomorrow afternoon*
in einer halben Stunde	*in half an hour*
Ende der Woche	*end of the week*
morgen früh	*tomorrow morning*
spätestens übermorgen	*the day after tomorrow at the latest*
wieder/noch einmal	*again/once more*
nächste Woche	*next week*
bis heute Mittag	*by midday today*

Question 2

You are asked to give **three** examples of the **language** used (= **expressions and phrases**) that show that the caller **accepts responsibility**.

Language means specific **expressions and phrases**. No marks are awarded for tone of voice. You can give the **exact phrase in German or paraphrase accurately in English**.

Solution to Question 2

Any **three** of the following answers would be accepted: (**6 marks**)

Es tut mir (schrecklich) leid.	*I am (really) sorry.*
Der Fehler liegt ganz auf unserer Seite.	*It's entirely our mistake.*
... da haben wir aus Versehen zwei Feiern reserviert.	*We took two bookings by mistake.*
Ich habe schon mit dem Besitzer gesprochen.	*I have already spoken to the owner.*
Machen Sie sich (darüber) keine Sorgen.	*Don't worry about that.*
Darum kümmern wir uns	*we will look after that.*
Der Bus geht natürlich auf Kosten unseres Hauses.	*Bus on the house/at our expense of course.*
Entschuldigen Sie (nochmals die Planänderung).	*Apologies (once again for the change of plan).*

It is reassuring to know that there are normally more examples than needed. Therefore, don't worry if you don't understand all of them. It is also advisable to give more than you are asked for. In that way, if you get one wrong **you may still get full marks!**

The following vocabulary will help you with the **second** question in this part, the use of **language**. Generally, this question tests the use of language to express **feelings**.

Confusion/helplessness

Ich verstehe das (überhaupt) nicht.	*I don't understand (at all).*
Das müssen Sie mir erklären.	*You must explain that to me.*
Das muss ein Irrtum sein.	*That must be a mistake.*
Das ist mir unklar.	*That is not clear to me.*
Es ist ein totales Rätsel.	*It is a complete puzzle.*
Es ist mir peinlich.	*I'm embarrassed.*
Es fällt mir nicht leicht.	*It is not easy for me.*
Ich bin wirklich ratlos.	*I'm really at a loss.*
Sie müssen das Problem lösen.	*You must solve the problem.*

Worry/anxiety

Ich mache mir Sorgen.	*I'm worried.*
Wir sind besorgt.	*We are worried.*
Ich habe (furchtbare) Angst.	*I'm (terribly) worried/afraid.*
Der Gedanke ist schrecklich.	*The thought is terrible.*
Ich weiß vor Sorge weder ein noch aus.	*I'm at my wits' end with worry.*
Um Gottes willen.	*For God's sake.*

Panic/urgency

Ich habe die totale Panik.	*I'm in total panic.*
Ich muss unbedingt mit ... sprechen.	*I absolutely have to speak with ...*
Bitte helfen Sie mir!	*Please help me!*
Ich halte es nicht mehr aus.	*I can't stand it any more.*
Es ist sehr dringend.	*It is very urgent.*

Joy/gratitude

Ich freue mich so.	*I'm so happy/pleased.*
Das ist toll/klasse.	*It is great/fantastic.*
eine tolle Erfahrung	*a great experience*
Stell dir vor!	*Imagine!*
Ich könnte in die Luft springen.	*I could jump into the air.*
Sie ist außer sich vor Freude.	*She is beside herself with joy.*
Wir haben ... gewonnen!	*We won ... !*
Ich bedanke mich.	*I thank you.*
Wir sind sehr dankbar.	*We are very grateful.*

Surprise

So eine Überraschung!	*Such a surprise!*
Ich bin (wirklich) erstaunt.	*I am (really) astonished.*
Erstaunlich!	*Astonishing!*
Es ist kaum zu glauben!	*It is hard to believe.*
Unglaublich!	*Incredible!*

Dissatisfaction/annoyance

Ich möchte mich beschweren.	*I would like to make a complaint.*
Ich verlange, dass ...	*I demand that ...*
Das geht (einfach) nicht.	*That simply won't do.*
Das ist die absolute Höhe!	*That is the absolute limit.*
Es reicht mir!	*I've had enough!*
Das ist ja unerhört!	*That is quite outrageous.*
Das ist eine Schande!	*That is a disgrace.*
Das ist unverschämt!	*That is outrageous.*
Es ist einfach nicht akzeptabel.	*It is simply not acceptable.*

Other phrases used in telephone conversations

Wie ist Ihre Handynummer?	*What is your mobile phone number?*
Ich gebe Ihnen meine Handynummer.	*I'll give you my mobile phone number.*
Könntest du ihm eine Nachricht von mir geben?	*Could you give him a message from me?*
Er soll mich heute Abend bei meiner Oma anrufen.	*He should ring me this evening at my granny's house.*
Herr Klett ruft Sie in der nächsten halben Stunde zurück.	*Herr Klett will call you back in the next half hour.*
Die Vorwahl von Münster ist 0251.	*The dialling code for Münster is 0251.*
Ich werde es ausrichten.	*I'll pass on the message.*
Ich werde es Herrn Bach ausrichten.	*I'll pass on the message to Herr Bach.*
Könnte mich Frau Lenz unter meiner Büronummer zurückrufen?	*Could Frau Lenz call me back at my office number?*
Unser Chef kommt morgen erst aus München zurück.	*Our boss is not returning from Munich until tomorrow.*
Geben Sie mir doch Ihre Nummer und er ruft Sie morgen umgehend an.	*But give me your number and he'll call you promptly tomorrow.*
Ich bedanke mich und warte dann auf seinen Rückruf.	*I thank you and shall await his return call.*
Unter welcher Nummer kann ich Sie erreichen?	*At what number can I reach you?*
Sie wird Sie persönlich anrufen, sobald sie zurück ist.	*She will call you personally as soon as she is back.*
Auf Wiederhören!	*Goodbye!*

Third part: Dialogue

In this part you are asked to **identify a relationship** between two speakers and give **indications to support your choice**. You may also be asked to describe **attitudes, feelings** or **reactions**.

Listen carefully to **how** the speakers address each other. Do they use **'du'** or **'Sie'**? Is the language **formal** or **informal**? Do they refer to family, friends or business associates?

Teil III: Guided answer

Track 2

In the **2017** exam, there is a conversation between Judith and Theo.

Question 1

(i) You must choose the correct answer from the following suggestions.
The conversation is between:
(a) two dog walkers ❒
(b) a tour guide and a tourist ❒
(c) two students ❒
(d) a brother and sister ❒

(ii) You must now give **two** indications from the conversation to support your choice.

Very early in the conversation there is a clear indication. Judith tells Theo that she has just been to the travel agency to plan a holiday '*in den Semesterferien*' (in the term holidays). We then hear her mention exams – '*nach den Prüfungen*'. Later on Theo mentions that he has spoken to another student – '*mit einem anderen Studenten*'. Towards the end of the conversation he refers to his university – '*bei uns an der Uni*'.

Solution to Question 1

The answer to question 1 (i) is (c), two students. (**1 mark**)

Any **two** of the following would be correct for part (ii): (**2 × 2 marks**)

- ... our holiday during term/semester holidays (*... unseres Urlaubs in den Semesterferien.*)
- Judith refers to their exams. (*Nach den Prüfungen ...*)
- Theo says that he was talking to another student. (*Ich habe ... mit einem anderen Studenten gesprochen.*)
- He says '... here at the university' (*bei uns an der Uni*).

Question 2

You are asked what they are discussing and to give details. Judith and Theo are discussing holidays. Judith has just come from the travel agency and is looking forward to a holiday in Spain. Theo wants to go on an adventure (*Abenteuer*) holiday in Poland. You have several details more than you require to give a fully correct answer.

Solution to Question 2

Topic: **holiday(s)** (**1 mark**)

Details: Any **three** of the following would be correct: (**3 × 2 marks**)

- She wants to go to Spain/the beach/on a sun holiday.
- He wants to go on an adventure.
- He would like to go hiking through the countryside for a few weeks with just a tent and a rucksack.
- He wants to go hiking through Poland/from the border to Warsaw.
- He would borrow a tent from his brother.
- He would borrow a gas cooker from his grandad.
- He might do a survival course beforehand.
- They could take the train if it rains.
- They could stay/relax with his brother in Warsaw.
- They could enjoy Warsaw/capital of Poland.

Question 3

(i) You are asked which word best describes the female speaker's reaction to the male speaker's idea.

(a) angry ❐
(b) sceptical ❐
(c) offended ❐
(d) enthusiastic ❐

(ii) Requires **three** details to support your choice.

Judith is surprised when she hears that Theo wants to go on an adventure holiday. She uses a lot of expressions that clearly show her doubts and concerns. She is not convinced that this is a good idea.

Solution to Question 3

(i) The answer to question 3 (i) is (b), sceptical. (**1 mark**)

(ii) Any **three** of the following answers (questions and comments uttered by Judith) would support your choice. (**3 × 2 marks**)

- What do you mean – an adventure? (*Wie – Abenteuer?*)
- I beg your pardon?! (*Wie bitte?!*)
- You are not fit at all! (*Du bist doch überhaupt nicht fit!*)
- When was the last time that you did sports? (*Wann hast du das letzte Mal Sport getrieben?*)
- You are always sitting in front of your PC/partying. (*Du hängst doch ständig vor deinem PC oder bist auf Partys.*)
- I think you're mad! (*Ich glaube, du spinnst!*) Do you even know how far that is?/That is definitely 500 kilometres! (*Weißt du überhaupt, wie weit das ist? / Das sind doch bestimmt 500 Kilometer!*)
- We will never manage that! (*Das schaffen wir nie!*)
- Camping isn't all that easy either. (*Zelten ist auch nicht so einfach.*)
- Do you know how to put up a tent?/Do you even have a tent? (*Weißt du zum Beispiel, wie man ein Zelt aufbaut? Hast du überhaupt ein Zelt?*)
- What will we eat? (*Was werden wir essen?*)
- How will we cook? (*Wie werden wir kochen?*)
- I don't think you have thought this through. (*Ich glaube, du hast das nicht bis zum Ende durchdacht.*)
- But what will we do if it rains (all the time)? (*Aber was machen wir, wenn es (die ganze Zeit) regnet?*)

Question 4

You are asked how the male speaker explains his choice. You will notice that throughout the conversation Theo shows his enthusiasm for an adventure holiday. He really wants to do something different and is influenced by another student's experience with this type of holiday. He then continues to counter Judith's reservations and concerns with suggested solutions. Listen carefully to these arguments and you will find several details to support your answer.

Solution to Question 4

Any two of the following answers would be correct: (2 × 1 marks)

- He feels like doing something different/an adventure.
- Another student walked from Hamburg to Munich.
- He would like to go hiking through the countryside for a few weeks with just a tent and a rucksack.
- He always wanted to go to Poland.
- He can borrow tent/gas cooker/hiking equipment.
- There is a survival course starting the following week.
- They can take the train if it rains.
- They can stay/relax with his brother (in Warsaw).
- They can enjoy Warsaw/capital city of Poland for a few days.

Past examinations have included: conversations between friends, classmates, two members of a project group, a caretaker and a school principal, neighbours, a boss and an employee, a girlfriend and boyfriend, and twin sisters.

Fourth part: News bulletin

Sie hören
jetzt Nachrichten

In the exam, the news bulletin, which usually includes a weather report, is played three times, the **second time with pauses**. Questions are asked and answered in **English**. As in the case of the First Part (the interview), there is a wide variety of subjects, and a broad grasp of vocabulary will help you to confidently answer the questions. There are, however, certain categories of vocabulary generally associated with this part and you should become familiar with them. On the following pages, you will find some useful words and expressions. Remember, there is a wealth of vocabulary in the Written Section of this book that covers some of the topics relevant to the Listening test.

News topics

Unfälle (Accidents)

der Unfall	*accident*
der Augenzeuge	*eye witness*
der Stau	*traffic jam*
die Wartezeit	*waiting time*
die hohe Geschwindigkeit	*high speed*
der Verkehr	*traffic*
die falsche Fahrbahn	*wrong side of the road*
die Ampel	*traffic lights*
die Insassen	*occupants*
der Beifahrer/die Beifahrerin	*front seat passenger*

die Ursache	*cause*
die Bremsen	*the brakes*
das Kennzeichen	*registration number*
der Führerschein	*driving licence*
schwere Verletzungen	*serious injuries*
Alkohol am Steuer	*driving under the influence of alcohol*
der Alkoholeinfluss	*influence of alcohol*
der Krankenwagen	*ambulance*
der Sachschaden	*damages*
schwer/leicht verletzt	*seriously/slightly injured*
bewusstlos	*unconscious*
betrunken	*drunk*
angeschnallt	*wearing a seat belt*
tödlich	*fatal*
sterben (starb, gestorben)	*to die*
ums Leben kommen (kam, gekommen)	*to be fatally injured*
erleiden (erlitt, erlitten)	*to suffer*

zusammenstoßen mit	*to collide with*
prallen gegen	*to crash into*
überholen	*to overtake*
die Kontrolle/Herrschaft verlieren	*to lose control*
ins Krankenhaus gebracht werden	*to be brought to hospital*
röntgen	*to X-ray*
operiert werden	*to undergo an operation*
ins Schleudern kommen	*to go into a skid*
verunglücken	*to have an accident*

Gewalt (Violence)

das Attentat	*assassination*
der Mord	*murder*
der Terroranschlag	*terror attack*
die Bombendrohung	*bomb threat*
das Opfer	*victim*
die Geisel	*hostage*
der Täter	*perpetrator*

Katastrophen (Disasters)

der Vulkan	*volcano*
der Orkan	*hurricane*
der Waldbrand	*forest fire*
das Erdbeben	*earthquake*
das Hochwasser	*flood*
die Überschwemmung	*flood*
die Hungersnot	*famine*
der Krieg	*war*
die Lawine	*avalanche*
der Flugzeugabsturz	*plane crash*
die Dürre	*drought*

Das Wetter (Weather)

der Wetterbericht	*weather report*
die Wettervorhersage	*weather forecast*
die Aussichten	*prospects/outlook*

Here is a reminder of some **basic** weather vocabulary.

Es regnet.	*It's raining.*
Es friert.	*It's freezing.*
Es hagelt.	*There are hailstones.*
Es blitzt.	*There is lightning.*
Es donnert.	*It is thundering.*
Es schneit.	*It is snowing.*
Es ist neb(e)lig.	*It is misty.*
Es ist bedeckt.	*It is overcast.*
Es ist wolkig/bewölkt.	*It is cloudy.*

Other weather phrases:

der Sturm	*storm*
das Gewitter	*thunderstorm*
die Temperatur	*temperature*

die Hitzewelle	*heatwave*
der Schneeregen	*sleet*
der Nieselregen	*drizzle*
die Kaltfront	*cold front*
der Hochdruck/Tiefdruck	*high/low pressure*
die Luftfeuchtigkeit	*humidity*
einzelne/vereinzelte Schauer	*scattered showers*
der Niederschlag	*precipitation/rainfall*
die Sicht	*visibility*
zunehmende Aufheiterung	*gradually brightening up*
aufgelockert	*clouds dispersed*
zeitweise Regen	*rain at times*
der Gefrierpunkt	*freezing point*
stellenweise Gewitter	*scattered thunderstorms*
die Höchsttemperaturen	*highest temperatures*
die Tiefsttemperaturen	*lowest temperatures*
niedrige Temperaturen	*low temperatures*
erhöhte Ozonwerte	*raised ozone levels*

Adjectives:

furchtbar	*terrible*
heiter	*bright*
trocken	*dry*
stürmisch	*stormy*
stark	*strong*
mäßig	*moderate*
schwach	*weak*
starker bis mäßiger Wind	*strong to moderate wind*

The following phrases and sentences have been used in past examinations:

Trotz des Hochsommers in Deutschland liegt für morgen, Samstag, eine Unwetterwarnung vor.	*Despite midsummer in Germany there is a storm alert issued for tomorrow, Saturday.*
Ein von Frankreich kommendes Tief bringt feuchte und warme Luft.	*A depression/low pressure from France will bring damp and warm air.*
Am Sonntag bringt ein Hoch besseres Wetter aus Osteuropa.	*On Sunday high pressure will bring better weather from Eastern Europe.*
Am Vormittag noch zeitweise Regen.	*Still rain at times in the morning.*
In der Nacht auf Montag Abkühlung der Temperaturen.	*In the early hours of Monday, temperatures will cool.*

Für das Wochenende ist perfektes Grillwetter angesagt.	*Perfect barbecue weather is forecast for the weekend.*
In vielen Teilen Deutschlands wüten zur Zeit Unwetter.	*In many parts of Germany a storm is raging at present.*
Heute und morgen drohen wieder schwere Gewitter in Hessen und Rheinland-Pfalz.	*There is a risk again of strong storms today and tomorrow in Hessen and Rheinland-Pfalz.*
Das Wetteramt warnt vor orkanartigen Stürmen von 120 Stundenkilometern.	*The weather office is issuing a warning of hurricane-force storms of 120 kilometres per hour.*
Hochwasseralarm im Osten Deutschlands.	*Flood alert in the east of Germany.*
Dauerregen hat im Bundesland Sachsen viele Flüsse ansteigen und über die Ufer treten lassen.	*Constant rain has caused many rivers to rise and overflow banks in the state of Saxony.*
Autofahrer können wegen Überflutung viele Straßen nicht mehr befahren.	*Motorists are unable to drive on many roads because of flooding.*
In den kommenden Tagen wird sich das Wetter nicht deutlich ändern.	*In the coming days the weather will not change significantly.*
Es bleibt weiterhin sonnig und trocken	*It will remain sunny and dry.*
Morgens besteht die Gefahr von Frühnebel.	*There is a risk of early morning mist.*
In den Alpen herrscht gute Fernsicht, also ideal für Bergwanderungen.	*In the Alps there is good visibility, therefore ideal for hiking/hill-walking.*
In den kommenden Tagen wird es an der Nordseeküste zu starken Gewittern kommen.	*In the coming days, strong storms are approaching on the North Sea coast.*
Grund dafür ist der Zusammenstoß von sehr warmer Luft mit einer Kaltfront.	*The reason for that is the meeting of very warm air with a cold front.*
Experten warnen, dass an vielen Orten auch mit Hagel zu rechnen ist.	*Experts warn that hailstones can be expected in many areas.*
Die Hitzewelle in Norddeutschland endete mit schweren Gewittern.	*The heat wave in North Germany ended in heavy storms.*
Am Mittwochabend prasselten heftige Regenschauer vom Himmel.	*On Wednesday evening heavy rain showers beat down from the sky.*
Vielerorts gab es am Nachthimmel ein regelrechtes Blitzfeuerwerk.	*In many places the night sky was lit up with lightning like fireworks.*
Die Aussichten zum Wochenende: deutlich kühler.	*The outlook for the weekend: significantly cooler.*
Morgen gegen Abend in Alpennähe Regenschauer.	*Rain showers tomorrow towards evening in the vicinity of the Alps.*

Die weiteren Aussichten: Ein atlantisches Tiefdruckgebiet bestimmt das Wetter.	*Further outlook: an Atlantic low-pressure area will determine the weather.*
Stark bewölkt, dazu weht ein frischer Wind aus Nordwest.	*Heavy clouds, also cool wind from the north-west.*

Weather reports usually include a reference to geographical location. You may hear:

im Norden *in the north*	im Süden *in the south*
im Osten *in the east*	im Westen *in the west*

or combinations such as 'im Südwesten' or 'im Nordosten'.

You should be familiar with the names of the German States (*Bundesländer*). They are often mentioned in news bulletins.

Bundesländer

Baden-Württemberg
Bayern
Berlin
Brandenburg
Bremen
Hamburg
Hessen
Mecklenburg-Vorpommern
Niedersachsen
Nordrhein-Westfalen
Rheinland-Pfalz
Saarland
Sachsen
Sachsen-Anhalt
Schleswig-Holstein
Thüringen

Sample listening comprehension exam questions

(Transcript for the sample listening comprehension is on pages 230–233. Solutions on pages 234–236)

Note: The instructions before each section are as they appear in the actual exam papers. For the purpose of this book, the recordings are played **only once**. You may play back the recordings as required.

Teil I

Track 3

First part

(Interview with Rachel Firk)

In the exam, the interview will be played **three** times: first right through, then in segments with pauses, and finally right through again.

1. (i) What do you learn about Rachel Firk? Give **three** details.
   (ii) Why does she speak German so well? Give **two** reasons.

2. (i) What factors influenced Rachel's decision to come to Germany?
   (ii) Why does she enjoy teaching children? Give **three** reasons.

3. (i) What are Rachel's duties in the school where she works? Mention **two**.
   (ii) How did the children help in the production of an English play? Give **details**.

4. (i) What happened after Rachel and the children recorded the play on a CD? Give **two** details.
   (ii) Who wants to buy materials for foreign language lessons?

5. What is Rachel thinking of doing when her contract in the school finishes?

Now check your answers against the CD script and solutions at the end of this section (pages 230–31 and 234).

Teil II

Track 4

Second Part

You will now hear a telephone conversation. The secretary in a lost property office takes a message.

In the exam, to allow you to answer **Question 1** (the **note**), the phone call will be played **twice**, with a pause after each playing during which you should **fill in the box**. The phone call will then be played for a **third** and final time to allow you to answer **Question 2** (the **language** [expressions and phrases] of the call).

1. Write down **in German** the key information the secretary puts in her note of the conversation (**key words, not full sentences**).

The note should contain:

- the caller's name
- details regarding further contact/ action to be taken
- the problem the caller has
- the caller's phone number

Anruf von: ....

Problem: ....

....

....

Die Anruferin:

- wird morgen einen Anruf erhalten. ❐
- ruft morgen zurück. ❐
- kommt morgen vorbei. ❐
- ruft heute Abend zurück. ❐

Telefonnummer der Anruferin: ....

2. In listening to the phone call for the **third** time, write down **three** examples of the **language (expressions and phrases)** used in the conversation to express the caller's **gratitude**.

Now check your answers against the CD script and solutions at the end of this section (pages 231–32 and 234).

Teil III

Track 5

Third Part

You will now hear a conversation between Frau Michael and Frau Anders. In the exam, the dialogue will be played **three times**, with a pause after each playing.

1. (i) The conversation is between:

(a) two neighbours
(b) two friends
(c) a mother and daughter
(d) two grandmothers

Indicate your choice by putting a, b, c or d in the box provided.

(ii) Find **two** indications in the conversation to support your choice.

2. (i) Which adjective best describes Frau Michael's reaction during the conversation?
   (a) cheerful
   (b) angry
   (c) doubtful
   (d) fearful

Indicate your choice by putting a, b, c or d in the box provided.

(ii) Write down two details from the conversation to support your choice.

3. (i) What arguments does Frau Anders use to persuade Frau Michael to change her mind? Mention two.
   (ii) What does Frau Michael decide to do in the end?

Now check your answers against the CD script and solutions at the end of this section (pages 232–33 and 235).

Teil IV

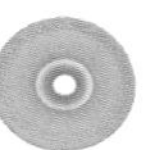
Track 6

Fourth part

You will now hear three news items followed by the weather forecast. In the exam, the news will be played three times: the first time right through, then in four segments with pauses, and finally right through again. Answer in English.

(Item 1)

1. (i) Why are disabled people demonstrating? Give two details.
   (ii) Mention two ways in which they will draw attention to their aim.

(Item 2)

2. (i) What is the theme of the special event in Rostock?
   (ii) What countries are taking part?

3. What favourable outlook is announced for the region in the next three years?

(Item 3)

4. (i) What belief has existed with regard to Mozart's music?
   (ii) What conclusion have scientists in Vienna come to regarding this belief?

(Item 4: Weather forecast)

5. (i) What are the current weather conditions in Germany? Give details.
   (ii) What areas can expect strong winds?

Now check your answers against the CD script and solutions at the end of this section (pages 233 and 235–36).

Transcripts for the listening comprehension guided answers

Teil II

40. Geburtstag

A: Schüssel hier.

B: Guten Tag, Herr Schüssel, hier ist Frau Hallhuber, die Besitzerin des Gasthofs „Zum Goldenen Hahn".

A: Oh, guten Tag.

B: Können Sie gerade sprechen – es geht um die Überraschungsparty zum 40. Geburtstag Ihrer Frau.

A: Kein Problem, ich bin allein zu Hause.

B: Es tut mir schrecklich leid, aber ich habe eine schlechte Nachricht für Sie. Wir haben leider für Samstag, den 27. Juli, eine Doppelbuchung. Könnten Sie die Geburtstagsfeier eventuell auf den nächsten Tag verschieben?

A: Auf gar keinen Fall. Meine Frau hat schließlich am Samstag Geburtstag und nicht am Sonntag. Wie kann denn so was passieren?! Ich hatte extra drei Monate im Voraus gebucht!

B: Der Fehler liegt ganz auf unserer Seite. Wissen Sie, wir haben ein neues Buchungssystem, na ja, und da haben wir aus Versehen zwei Feiern reserviert ...

A: Na prima. Und was schlagen Sie jetzt vor?

B: Also, wenn es Ihnen recht wäre, könnten Sie stattdessen am selben Tag im Gasthof „Zillerberg" feiern. Ich habe schon mit dem Besitzer gesprochen.

A: Aber das ist 20 km weit weg und auf dem Land!

B: Ja, aber dafür hat der Gasthof einen wunderschönen Garten mit alten Bäumen und herrlichen Rosen – perfekt für Ihre Grillparty!

A: Schön und gut, aber wie sollen wir da hinkommen? Wir wollen schließlich mit einem Gläschen Sekt auf das Geburtstagskind anstoßen!

B: Machen Sie sich darüber keine Sorgen – darum kümmern wir uns selbstverständlich. Wir organisieren einen privaten Bus für Sie, auf Kosten unseres Hauses natürlich.

A: Also, da muss ich erst mal in Ruhe darüber nachdenken. Ich rufe Sie heute im Laufe des Tages zurück.

B: Oh, da wäre ich Ihnen dankbar. Am besten erreichen Sie mich unter meiner direkten Nummer 0165–35 99 722.

A: 0165–35 99 722. Und Ihr Name war noch mal?

B: Birgit Hallhuber: H–A–L–L–H–U–B–E–R. – Entschuldigen Sie nochmals die Planänderung. Ich freue mich auf Ihren Anruf.

Teil III

Track 2

Abenteuerurlaub

Theo: Na endlich, wo warst du denn?

Judith: Ich war noch schnell im Reisebüro wegen unseres Urlaubs in den Semesterferien. Also, ich glaube, nach den Prüfungen bin ich nur noch für Sonne, Strand und Sangria fit, in einem Wort – Spanien! Und was hast du dir überlegt?

Theo: Also ich habe Lust auf was Anderes, ein Abenteuer.

Judith: Wie – Abenteuer?

Theo: Also, ich habe da neulich mit einem anderen Studenten gesprochen. Der ist letztes Jahr in acht Wochen von Hamburg nach München gewandert. Mit Hund und Übernachtung in der freien Natur. Ganz ohne Luxus. So was würde ich auch gerne versuchen – nur mit Zelt und Rucksack ein paar Wochen durch die Landschaft wandern.

Judith: Wie bitte?! Du bist doch überhaupt nicht fit! Wann hast du das letzte Mal Sport getrieben? Du hängst doch ständig vor deinem PC oder bist auf Partys.

Theo: Irgendwann muss man eben anfangen. Warum wandern wir nicht durch Polen? Da wollte ich schon immer mal hin. Wir nehmen den Zug bis zur Grenze, steigen dort aus und wandern los in Richtung Warschau.

Judith: Ich glaube, du spinnst! Weißt du überhaupt, wie weit das ist? Das sind doch bestimmt 500 Kilometer! Das schaffen wir nie! Und Zelten ist auch nicht so einfach – weißt du zum Beispiel, wie man ein Zelt aufbaut? Hast du überhaupt ein Zelt? Was werden wir essen, und wie werden wir kochen? Ich glaube, du hast das nicht bis zum Ende durchdacht.

Theo: Doch – ich borge das Zelt von meinem Bruder, den Gaskocher von Opa, und nächste Woche fängt bei uns an der Uni ein Survival-Kurs an.

Judith: Aber was machen wir, wenn es die ganze Zeit regnet?

Theo: Ich denke, das könnte sehr romantisch sein. Aber im Ernst – im schlimmsten Fall nehmen wir einfach den Zug bis nach Warschau. Also, was sagst du, machst du mit?

Judith: Wohnt dein Bruder nicht in Warschau?

Theo: Genau. Am Ende können wir uns bei ihm in seiner Wohnung ausruhen und ein paar Tage die polnische Hauptstadt genießen.

Transcripts for the sample listening comprehension test

Read through the transcript first to see if you can find any answers you missed. Then use the solutions to confirm your answers.

Teil I

Track 3

Lesen Sie jetzt bitte die Fragen zu Teil I.

Interview mit Rachel, Fremdsprachenassistentin in einer Grundschule in Stralsund

Interviewer: Rachel, Sie sind Fremdsprachenassistentin hier an der „Ferdinand von Schill"-Grundschule. Können Sie sich unseren Hörern bitte kurz vorstellen?

Rachel: Also, ich heiße Rachel Firk, bin 21 Jahre alt und komme aus Birmingham.

Interviewer: Sie sprechen ja sehr gut Deutsch.

Rachel: Ja, ich habe in der Schule schon Deutsch gelernt. Ich hatte eine Lehrerin, die sich sehr für die Sprache begeistert hat. Die Begeisterung hat sich natürlich auf uns Schüler übertragen und da hat das Lernen immer viel Spaß gemacht.

Interviewer: Und hatte diese Lehrerin einen Einfluss auf Ihre Entscheidung, hierher zu kommen?

Rachel: Durchaus. Ich war schon zweimal mit einem Schüleraustausch in Deutschland. Meine Begeisterung für Land und Sprache wollte ich gern verbinden. Ich unterrichte sehr gerne Kinder; sie lernen leicht und schnell und stellen gezielte Fragen. Sie sind einfach sehr neugierig und offen.

Interviewer: Was genau sind denn Ihre Aufgaben hier an der Schule?

Rachel: Ich unterstütze die Fachlehrer im Unterrichtsfach Englisch. Dadurch kann die Schule jetzt pro Woche drei Stunden anstatt nur eine Stunde Englischunterricht anbieten. Außerdem biete ich eine Nachmittags-AG an. Da haben wir zum Beispiel ein englisches Theaterstück einstudiert. Die Kinder haben nicht nur ihre Rollen und Lieder einstudiert, sondern auch das Bühnenbild gebastelt und Kostüme angefertigt. Das haben wir dann auf CD aufgenommen.

Interviewer: Und die haben Sie an einen Wettbewerb geschickt, ist das richtig?

Rachel: Genau, das stimmt.

Interviewer: Gibt es denn da schon Ergebnisse?

Rachel: Ja, und zwar sehr gute! Wir haben nämlich gewonnen! Die Schule hat Lernspiele und Geld bekommen. Damit will die Schulleiterin neue Materialien für den Fremdsprachenunterricht kaufen.

Interviewer: Na, da hat sich der Aufwand ja gelohnt. Wie lange sind Sie denn noch an der Schule?

Rachel: Noch bis Mai, dann sind die neun Monate hier schon wieder rum.
Interviewer: Und dann geht's zurück nach England?
Rachel: Das habe ich mir noch nicht genau überlegt. Vielleicht bewerbe ich mich ja auch hier in Deutschland für einen Studienplatz.
Interviewer: Na dann viel Glück auf Ihrem weiteren Weg, wo auch immer Sie diesen weiter beschreiten werden.
Rachel: Vielen Dank!

Teil II

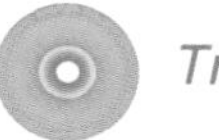
Track 4

Lesen Sie jetzt bitte die Fragen zu Teil II.

Anruf beim Fundbüro

Sekretär: Fundbüro, guten Tag. Rimmer am Apparat.
Frau Meinecke: Schönen guten Tag. Hier ist Frau Meinecke.
Sekretär: Wie kann ich Ihnen helfen, Frau Meinecke?
Frau Meinecke: Ich habe heute Morgen schon einmal bei Ihnen angerufen und mit Ihrem Kollegen, Herrn Füll, gesprochen. Ich bin ganz verzweifelt. Letzte Woche habe ich auf dem Markt mein Armband verloren. Das hat schon meiner Mutter gehört und ist mir sehr wichtig. Es ist unersetzbar.
Sekretär: Mhm, das tut mir leid.
Frau Meinecke: Herr Füll wollte nachschauen, ob jemand es abgegeben hat, und sich dann wieder bei mir melden. Aber ich habe immer noch nichts von ihm gehört.
Sekretär: Ja, Herr Füll ist schon nach Hause gegangen. Ich kann aber gern nachschauen, ob er etwas hinterlassen hat.
Frau Meinecke: Da wäre ich Ihnen sehr dankbar.
Sekretär: Wie ist noch mal Ihr Name?
Frau Meinecke: Meinecke, M-E-I-N-E-C-K-E.
Sekretär: Ja, da ist eine Notiz hier im Buch. Welche Telefonnummer haben Sie denn hinterlassen?
Frau Meinecke: Ich glaube, das war meine Handynummer: 0172/418192.
Sekretär: Sagten Sie 0172/418192?
Frau Meinecke: Ja.
Sekretär: Aha. Da hat Herr Füll wohl zu schnell geschrieben. Er hat zwei Zahlen in der Nummer vertauscht und konnte Sie deshalb nicht erreichen. Aber ich habe eine gute Nachricht, Frau Meinecke.
Frau Meinecke: Haben Sie das Armband?
Sekretär: Ja, das wurde vor drei Tagen hier abgegeben. Jemand hat es gefunden und direkt hierher gebracht. Es sieht noch aus wie neu.
Frau Meinecke: Sie glauben gar nicht, was mir da für ein Stein vom Herzen fällt! Ich bin dem ehrlichen Finder zu großem Dank verpflichtet.

Sekretär: Sie können das Armband morgen gern hier abholen. Name und Adresse des Finders haben wir hier im Buch stehen.

Frau Meinecke: Oh, sehr gut. Ich möchte ihm schon gern persönlich meine Dankbarkeit zeigen. Wann haben Sie denn morgen geöffnet?

Sekretär: Von 8 bis 17 Uhr.

Frau Meinecke: Gut, dann komm' ich gleich am Morgen vorbei. Ganz vielen Dank für Ihre Bemühungen.

Sekretär: Keine Ursache, Frau Meinecke. Bis morgen dann.

Teil III

Track5

Lesen Sie jetzt bitte die Fragen zu Teil III.

Zwei Großmütter unterhalten sich

Frau Anders: Guten Tag, Frau Michael!

Frau Michael: Ah, Frau Anders. Sie holen auch Ihre Enkelin heute ab?

Frau Anders: Ja, meine Tochter muss heute länger arbeiten. Und Sie?

Frau Michael: Oh, ich hole meine Enkelin Clara jeden Tag von der Schule ab. Mein Sohn und meine Schwiegertochter holen sie dann bei mir zu Hause ab, wenn sie von der Arbeit kommen.

Frau Anders: Omas sind halt praktisch, nicht wahr?!

Frau Michael: Haha, ja, das können Sie laut sagen. Aber es macht schon auch Spaß, sich so um die Enkel kümmern zu können.

Frau Anders: Das ist wahr! Ich freue mich, dass ich meinen Kindern noch so helfen kann. Ich gehe mit Rebecca auch jeden Mittwoch zum Fußball.

Frau Michael: Ich wusste nicht, dass Sie sich für Fußball interessieren, Frau Anders.

Frau Anders: Oh, tue ich auch nicht. Aber Rebecca trainiert beim Radeberger SV und ihr macht es sehr viel Spaß.

Frau Michael: Also, ich finde ja, Fußball ist ein Sport für Männer. Da haben Frauen nichts zu suchen!

Frau Anders: Meinen Sie wirklich, Frau Michael? Ich bin ja nun kein großer Fußballfan. Aber Rebecca ist mit voller Begeisterung bei der Sache. Fragen Sie doch mal Ihre Enkelin! Der Radeberger SV sucht noch Mädchen für eine Mannschaft.

Frau Michael: Nee, die Clara interessiert sich für so was bestimmt nicht.

Frau Anders: Fragen Sie sie doch einfach mal. Wie gesagt, ich habe kein großes Interesse an Fußball. Aber es ist eine Freude, der Rebecca beim Training zuzuschauen.

Frau Michael: Also, ich weiß nicht. Frauen und Fußball, das passt doch nicht zusammen ...

Frau Anders: Fragen Sie doch einfach mal. Training ist jeden Mittwoch von 16 bis 17.30 Uhr. Clara kann ja auch einfach mal eine Trainingseinheit probieren und dann entscheiden, ob es ihr gefällt.

Frau Michael: Na, ich bin ja skeptisch, aber ich frage die Clara.

Frau Anders: Super. Die Rebecca kann ja der Clara auch mal vom Training erzählen in einer Schulpause. Oder noch besser: Kommen Sie doch mal mit der Clara bei uns vorbei. Da können wir zusammen einen Kaffee trinken und die Mädchen können zusammen spielen.

Frau Michael: Das ist eine richtig gute Idee, Frau Anders. Wenn es beim Fußballtraining auch Kaffee gibt, werde ich vielleicht selbst noch zum Fußballfan!

Frau Anders: Haha.

Teil IV

Track 6

Lesen Sie jetzt bitte die Fragen zu Teil IV.

Es ist 13 Uhr, Sie hören die Nachrichten

1. Dresden. In der sächsischen Landeshauptstadt wollen Behinderte am Mittwoch für Barrierefreiheit demonstrieren. Ziel sei es, auf das Recht der Menschen mit Behinderung zu bestehen, von Beginn an in allen Lebenssituationen dabei sein zu können. Dies sagte die Vorsitzende der Liga der Freien Wohlfahrtsverbände in Sachsen, Beate Hennig, am Montag auf einer Pressekonferenz. Die Mitglieder der Vereine wollen mit einem Theaterstück, einem Hoffest und einer „Parade der Vielfalt“ auf ihre Situation aufmerksam machen.

2. Rostock. Der Verein Windenergie-Network veranstaltet heute in der Hansestadt den ersten Windenergietag. Das Thema ist „Offshore-Windenergie im Ostseeraum“. Es nehmen 280 Firmen aus Deutschland und der Schweiz teil. Eine Studie besagt, dass in den nächsten drei Jahren in der Region 1000 bis 1500 Arbeitsplätze in der Windkraftbranche entstehen könnten. Somit wäre die Branche Jobmotor Nummer eins im Großraum Rostock.

3. Wien. Mozarts Musik macht nicht klug: Wissenschaftler der Universität Wien haben jetzt endgültig einen der großen Mythen der Psychologie – den so genannten „Mozart-Effekt“ – widerlegt. Der „Mozart-Effekt“ geht davon aus, dass die Musik des Salzburger Komponisten intelligenzsteigernd sei. Der Forschungsleiter Jakob Pietschnig sagte, er empfehle jedem, Mozarts Musik zu hören. Aber die Erwartung, dadurch die eigene Intelligenz zu steigern, sei nicht erfüllbar.

4. Das Wetter in Deutschland. Heute im Tagesverlauf im Süden und Südosten regnerisch, ansonsten wolkig oder heiter. Bei 10 bis 15 Grad bleibt es für die Jahreszeit zu kühl. Eine Tiefdruckzone über Mitteleuropa sorgt zunächst für wechselhaftes Wetter. Jedoch setzt von Nordwesten her allmählich Hochdruckeinfluss ein. Im weiteren Tagesverlauf in den Höhenlagen und an der Küste frischer und in Böen starker Wind aus nördlichen Richtungen. Kommende Nacht im Norden und in der Mitte örtlich leichter Frost.

Solutions to the sample listening comprehension test

First part: Interview (Teil I)

1. (i) She is a foreign language assistant in a primary school in Germany, she is 21 years old, she comes from Birmingham.
   (ii) Any two of:
   She learned German in school; she had a teacher who passed on her enthusiasm for the language to her pupils; she enjoyed learning German.

2. (i) Her German teacher; she had participated twice in a student exchange in Germany; she wanted to combine her enthusiasm for the land and the language.
   (ii) Any three of:
   They learn easily; they learn quickly; they ask direct questions; they are curious; they are open/frank.

3. (i) Any two of:
   She supports the teacher in the teaching of English; she offers/takes part in afternoon activities; she has rehearsed an English play with the pupils.
   (ii) They rehearsed their roles/parts and their songs, they made the stage set, and they made the costumes.

4. (i) Any two of:
   They sent it to a competition; they won; they got money; they got educational games.
   (ii) The school principal.

5. She might apply for a university/college place in Germany or she might return to England.

Second part: Telephone message (Teil II)

1. Anruf von: Frau Meinecke
   Problem: hat ihr Armband verloren, letzte Woche auf dem Markt, hat ihrer Mutter gehört, hat schon angerufen, keinen Rückruf bekommen.
   Die Anruferin kommt morgen vorbei.
   Telefonnumer: 0171/418192

2. Any three of:
   Was mir da für ein Stein vom Herzen fällt (*what a load off my mind*); ich bin dem ehrlichen Finder zu großem Dank verpflichtet (*I'm so grateful/under an obligation to the honest finder*); ich möchte ihm schon gern persönlich meine Dankbarkeit zeigen (*I would like to personally thank him/show him my gratitude*); ganz vielen Dank für Ihre Bemühungen (*thank you very much for your efforts*).

Third part: Dialogue (Teil III)

1. (i) (d) two grandmothers
   (ii) Any two of:
   Sie holen auch Ihre Enkelin ab heute (*you are also collecting your granddaughter today*); ich hole meine Enkelin jeden Tag von der Schule ab (*I collect my granddaughter every day from school*); mein Sohn und meine Schwiegertochter holen sie dann bei mir zu Hause ab (*my son and my daughter-in-law collect her from my home*); Omas sind praktisch (*grannies are practical*); es macht schon Spaß, sich um die Enkel kümmern zu können (*it's fun looking after the grandchildren*); fragen Sie doch mal Ihre Enkelin (*ask your granddaughter*); Ihre Enkelin kann ja auch einfach mal eine Trainingseinheit probieren (*your granddaughter can simply try a training unit*).

2. (i) (c) doubtful
   (ii) Any two of:
   Also, ich finde ja, Fußball ist ein Sport für Männer (*I think football is a sport for men*); die Clara interessiert sich für so was bestimmt nicht (*Clara is certainly not interested in anything like that*); also, ich weiß nicht ... (*Oh I don't know ...*); Frauen und Fußball, das passt doch nicht zusammen (*women and football, they don't go together*); na, ich bin ja skeptisch (*well, I'm sceptical*).

3. (i) Any two of:
   Rebecca ist voller Begeisterung bei der Sache (*Rebecca is full of enthusiasm for it*); fragen Sie doch Ihre Enkelin. Der Radeberger SV sucht noch Mädchen für eine Mannschaft (*Ask your granddaughter. The Radeberg sports club is looking for girls for a team*); ... es ist eine Freude, der Rebecca beim Training zuzuschauen (*it is a joy to watch Rebecca training*); Ihre Enkelin kann ja auch einfach mal eine Trainingseinheit probieren und dann entscheiden, ob es ihr gefällt (*your granddaughter can simply try a training unit and then decide if she likes it*); die Rebecca kann ja der Clara auch mal vom Training erzählen in einer Schulpause (*Rebecca can tell Clara about the training in the school break*); oder noch besser: kommen Sie doch mal mit der Clara bei uns vorbei. Da können wir zusammen einen Kaffee trinken und die Mädchen können zusammen spielen (*Or even better: come round with Clara. We can have coffee together and the children can play together*).
   (ii) She decides to go round to Frau Anders for coffee.

Fourth part: News bulletin (Teil IV)

1. (i) For freedom of access, for the right to be able to be part of all life situations from the beginning.
   (ii) Any two of:
   A play; a (village) festival; a 'parade of diversity'.

2. (i) Offshore wind energy in the Baltic Sea.
   (ii) Germany and Switzerland.

3. 1,000–1,500 jobs could be created in the wind energy branch/area.

4. (i) That Mozart's music makes you clever/intelligent/increases your intelligence.
   (ii) They have contradicted the myth, they have stated that listening to Mozart's music does not increase intelligence.

5. (i) Raining in the south and south-east, elsewhere cloudy or bright, 10 to 15 degrees, too cool for the time of year, low-pressure zone over Central Europe, changeable weather from the north-west – high-pressure influence.
   (ii) High altitude and coastal areas.